# De Oranjemythe

# De Oranjemythe

een postmodern fenomeen

Coos Huijsen

Europese Bibliotheek – Zaltbommel

Vormgeving: Pauline Hoogweg – Breda

ISBN 90 288 2691 2

© 2001 Coos Huijsen – Amsterdam

© 2001 Europese Bibliotheek - Zaltbommel

© Omslag: P. Struycken, 2001 c/o Beeldrecht - Hoofddorp

# Inhoudsopgave

# Voorwoord

Er zijn weinig onderwerpen waarover de gemoederen zo hoog kunnen oplopen in Nederland als zaken die betrekking hebben op het Oranjehuis. Dat is ook niet zo verwonderlijk want het koningschap is een onderwerp dat zich bevindt op het snijvlak van rationaliteit en emotie en het wordt in ons land, meer nog dan elders, gekenmerkt door paradoxen. Allereerst betreft het een staatsvorm die niet uit de democratische doctrine is voortgekomen en die desondanks door de overgrote meerderheid van de bevolking gewaardeerd wordt. Vervolgens gaat het om een volk met een republikeinse traditie dat op grond van een nationale mythe een specifieke dynastie, het huis van Oranje, in het hart gesloten heeft. Er is ongetwijfeld sprake van een historische lotsverbondenheid. De Franse negentiende-eeuwse historicus Ernest Renan sprak zelfs van 'het intieme huwelijk' dat tussen Nederland en het huis van Oranje zou bestaan en waarvan de ontbinding een gevaar voor het land zou betekenen.

De heersende politieke logica gaat uit van een nogal abstracte kijk op de democratie. Hierin wordt voorbijgegaan aan de culturele context en de zin van het historisch gegroeide en men weet geen raad met emotionele bindingen of met zoiets irrationeels als een nationale mythe. Kortom, deze logica wordt gekenmerkt door een cultuurhistorisch tekort. Maar zij is dermate dominant dat de sympathie voor de Oranjes tegenwoordig nogal eens gepaard gaat met een intellectuele verlegenheid om het koningschap als instituut te rechtvaardigen. Veelzeggend in dit verband was ook de stelling die geponeerd werd tijdens de discussie in 2000 over het koningschap 'dat de bewijslast voor de verzoening van monarchie en democratie bij de voorstanders van zo'n monarchie komt te liggen'.[1] Dat is een interessante uitdaging. Dit boek gaat hierop in. Er valt nu eenmaal meer over het koningschap van de Oranjes te zeggen dan het argument van vicepremier Jorritsma, dat het koningschap ons ervoor behoedt dat een 'engerd als de Franse president Chirac' hier staatshoofd zou worden. En passant worden enkele standaardopvattingen over dit onderwerp nog eens kritisch bekeken zoals de veronderstelling dat Amsterdammers traditioneel anti-Oranje zouden zijn. Het woord monarchie wordt in verband met het Nederlandse koningschap in dit boek niet gebruikt omdat Nederland eigenlijk een republiek is met een erfelijk staatshoofd. Aangetoond wordt dat de Nederlanders met hun intuïtieve voorkeur voor het koningschap van de Oranjes met name op cultuurhistorische gronden sterk staan. Naarmate het koningschap meer is gedepolitiseerd is de betekenis van het staatsrechtelijk aspect verder verminderd en komt de nadruk meer te liggen op de cultuurhistorische betekenis ervan. Dit gegeven en ook allerlei nieuwe maatschappelijke ontwikkelingen zullen van invloed zijn op onze opvattingen over het functioneren van het koningschap. Deze thematiek zou met grotere onbevangenheid dan tot nu toe gebruikelijk tegemoet getreden kunnen worden.

Het is niet de bedoeling om de historie van het Huis van Oranje hier uitputtend te behandelen. Het gaat slechts om een globale schets met als doel een illustratie te geven van de betekenis en de ontwikkeling van de Oranjemythe in de Nederlandse geschiedenis. Als we de Oranjemythe een positieve plaats toekennen in de Nederlandse geschiedenis wil dat niet zeggen dat we bereid zouden zijn de historische werkelijkheid daarvoor wat te verfraaien.

Dat is ook niet nodig want een nationale mythe is niet waar omdat hij geheel overeen zou stemmen met de historische werkelijkheid, maar omdat hij een idee belichaamt dat nog voldoende mensen waar willen vinden. Al naar gelang de lezer vordert in dit boek zal de titel duidelijk worden.

# Dankbetuiging

Behalve dat ik gesprekken gevoerd heb met een aantal deskundigen en insiders, van wie een enkele anoniem wil blijven, is mijn betoog grotendeels gebaseerd op literatuurstudies. Bijzonder dankbaar ben ik deze deskundigen met wie ik gesprekken mocht hebben of die mij van commentaar voorzagen. In alfabetische volgorde noem ik in dit verband: prof. dr. J.Th.J. van den Berg, prof. dr. A.Th. van Deursen, mr. R.J. Hoekstra, prof. drs. R.F.M Lubbers, dr. J.P. Rehwinkel, prof. dr. G.J. Schutte, mr. H.D. Tjeenk Willink en drs. B. Woelderink. Dank ben ik ook verschuldigd aan enkele vrienden, vanwege hun kritisch meelezen: mijn partner Lank Bos, Frans Groenewoud, Greetje Kenemans en Gerard Pieters, voor hun suggesties voor het uiterlijk van het boek: Inez van Lamsweerde en Vinoodh Matadin en als steun en toeverlaat op het gebied van de informatica: Laurens Waling.

Coos Huijsen
Amsterdam, 2001

# Inleiding

*Maar laten we die abstracties nu maar laten rusten, ze zijn in onze tijd een van de meest favoriete vormen van bedrog.* (Marguerite Yourcenar in 'Met open ogen')

Republikeinen vrezen dat we in Nederland met onze huidige staatsvorm internationaal gezien steeds meer uit de toon zullen vallen. Het koningschap zou een anachronisme zijn omdat het zou botsen met de rationaliteit van de moderne samenleving, en naar zijn aard zelfs strijdig zou zijn met de democratie omdat het staatshoofd niet via verkiezingen tot zijn functie geroepen is maar op grond van erfopvolging. De republikeinen hebben gelijk dat het koningschap niet gezien kan worden als het product van de heersende politieke logica. Het Nederlandse koningschap is namelijk allereerst het resultaat van een langdurig historisch proces.

De verzuchting dat Nederland tegenwoordig als koninkrijk een minder gangbare staatsvorm heeft, zegt op zichzelf nog niets over de aanvaardbaarheid ervan. Toen in de zestiende, zeventiende en achttiende eeuw verreweg de meeste landen in Europa nog vorstendommen waren, week Nederland immers als republiek al evenzeer af van de heersende staatkundige voorkeur. Ons land, Venetië en Zwitserland vormden de republikeinse buitenbeentjes in Europa. Er is in historisch opzicht hooguit sprake van een consequente Nederlandse tegendraadsheid, en in staatkundig opzicht van een non-conformistische traditie. Terwijl de meeste landen zich met horten en stoten ontwikkelden van feodale maatschappijen onder absolute heersers tot de democratieën van nu, is het huidige Nederland daarentegen geworteld in de door en door burgerlijke Republiek der Zeven Verenigde Nederlanden. Genoemde burgerlijke, republikeinse traditie, gekenmerkt door spreiding van verantwoordelijkheid, collegialiteit van de bestuurders en een afkeer van al te pretentieuze machthebbers, is tot vandaag de dag de constante in de Nederlandse geschiedenis. De overgang van de republikeinse staatsvorm naar het koningschap is in de moderne geschiedenis uitzonderlijk, maar in de lijn van de Nederlandse historie verklaarbaar. Want zoals de Republiek in staatsrechtelijk opzicht een afwijkend fenomeen in Europa was, zo namen ook de Oranjes onder de vorstenhuizen een afwijkende positie in. Welke dynastie heeft twee revoluties op haar naam staan? De stamvader, Willem van Oranje, begon immers in de zestiende eeuw als leider van de opstand tegen Spanje. Hij legde zo de grondslag voor de nationale vrijheid en zelfstandigheid, die overigens slechts gerealiseerd kon worden dankzij het militaire genie van zijn zoons Maurits en Frederik Hendrik, veldheren van internationale allure. Zijn achterkleinzoon stadhouder-koning Willem III, die het land met succes verdedigde tegen de agressie van de Franse absolute monarchie, bezorgde in 1689 het Engelse parlement de overwinning via 'the Glorious Revolution'. Het feit dat deze dynastie de grondslag legde voor een vrije republiek waarbinnen ze meer dan twee eeuwen een essentiële rol speelde, en het verschijnsel dat de Oranjes in hun strijd tegen de regentenelite herhaalde malen steun kregen van de volksmassa, zijn uniek in de geschiedenis te noemen. Deze ontstaansgeschiedenis van het Nederlandse koningschap is in hoge mate bepalend voor het karakter en de positie ervan. Aan dit specifieke koningschap, dat wel gekenschetst wordt als een republikeins koningschap, ligt de Oranjemythe ten grondslag en deze is op allerlei manieren verweven met de nationale identiteit van Nederland. Qua mentaliteit zijn de Nederlanders eigenlijk republikeinen gebleven, maar de Oranjemythe vormt de motivatie om desondanks de voorkeur te geven aan een Oranje als erfelijk staatshoofd.

Het koningschap is geen vanzelfsprekend fenomeen meer in deze tijd. De heersende politieke logica lijkt weinig ruimte te laten voor de historische legitimatie van een instituut dat de nationale continuïteit zou belichamen. Dit reikt verder dan de vraag naar de legitimatie van het koningschap. De Franse filosoof Alain Finkielkraut toont zich verontrust over het verschijnsel dat deze tijd nauwelijks nog een boodschap zou hebben aan het historisch gegroeide. Teruggrijpend naar Hannah Arendt stelt hij dat hij zich zorgen maakt over de kwetsbaarheid van 'het symbolische stramien dat de functie heeft dat het ons niet alleen met onze tijdgenoten verbindt maar ook met degenen die dood zijn en die na ons zullen komen'; zorgen ook om de continuïteit als 'het blijvende kader waarbinnen handelen en scheppen zich kunnen ontwikkelen'.[2] Het mythische karakter van het koningschap lijkt op gespannen voet te staan met de rationaliteit die zo kenmerkend is voor de moderne democratische samenleving. Van republikeinse zijde in Nederland beweert men dan ook wel dat juist dit mythische aspect het koningschap tot een anachronisme zou maken. Maar republieken hebben óók hun nationale mythen. Zo creëerden de grondleggers van de Franse republiek indertijd heel bewust de 'mythe van de Franse Revolutie' om de republikeinse staatsvorm te populariseren en zo heeft de USA de mythe van de 'American Dream'. De vraag is daarom op zijn plaats wat er eigenlijk principieel mis zou zijn met een nationale mythe, die de nationale samenhang ten goede kan komen en de politiek van alle dag in een historisch kader plaatst.

Een samenleving moet natuurlijk verstandig in elkaar steken. Maar daarmee is nog niet alles gezegd. Een politieke logica op grond waarvan een volk niet veel meer zou zijn dan een optelsom van individueel reagerende personen en waarbinnen geen plaats is voor het historisch gegroeide en de nationale tradities, schiet hopeloos te kort. De Franse katholieke en marxistische filosoof Gabriel Marcel claimt daarom ruimte voor de mythe. Rationaliteit en kunst en cultuur, rationaliteit en menselijke verhoudingen, rationaliteit en natie, rationaliteit en de nationale staatsvorm... Het is maar de vraag of rationaliteit altijd wel zo'n doorslaggevend criterium is en of we er niet al te gemakkelijk mee op het gebied van de simplificaties terechtkomen. Het zou wellicht juist rationeel – in de zin van verstandig – zijn om te erkennen dat irrationele gevoelens mede onze waardering van de werkelijkheid bepalen. We zouden er daarom beter aan doen de betekenis van het mythische te onderkennen en zijn plaats te geven.

In de discussie over de voor- en nadelen van het koningschap worden we geconfronteerd met het verschijnsel dat we het 'republikeins dilemma' zouden kunnen noemen. Hoewel de republikeinen het koningschap vanwege de erfopvolging als ondemocratisch van de hand wijzen, valt niet te ontkennen dat de bestaande koninkrijken in West-Europa tot de oudste en meest stabiele democratieën gerekend worden. Zeker in Scandinavië en Nederland betreft het bovendien samenlevingen waar een bijna optimale sociale gelijkheid gerealiseerd is en waar het levensbesef gekenmerkt wordt door een hoge mate van rationaliteit. De monarchie als samenbindende factor komt het markantst tot uiting in federatieve staten. Zoals in België, waar bij gelegenheden rond het Koninklijk Huis Vlamingen en Walen soms even Belg worden. Vermeldenswaard is ook Spanje, waar koning Juan Carlos de omvorming van een dictatuur in een moderne democratie in korte tijd mogelijk maakte. Op grond van opiniepeilingen blijkt steeds weer dat er in deze landen onder een breed publiek sprake is van een ruime waardering voor het praktische functioneren van het koningschap. Dat is niet zo verbazingwekkend, omdat de huidige Europese koninkrijken eigenlijk democratische republieken zijn met een erfelijk staatshoofd. Dat geldt zeker voor Nederland. Kennelijk is de verkiesbaarheid van het staatshoofd ongeschikt om te dienen als de ultieme lakmoesproef om de moderniteit en het democratisch gehalte van een samenleving te toetsen. Niettemin bestaat er formeel gezien een spanning tussen het koningschap en een democratisch staatsbestel. Prof. mr. A.M. Donner vroeg zich af of dit nu lag aan het koningschap of aan de democratische doctrine.[3] Hij dacht aan beide. Hij zag de democratische doctrine als een vereenvoudiging van de werkelijkheid en het koningsambt vond hij slechts een van de vele sprekende voorbeelden dat 'there are more things in heaven and earth than are dreamt of in our philosophy'. Het gaat erom hoe we tegen de democratie aankijken. Zowel onze waardering van de rationaliteit als onze kijk op de democratie kan fundamentalistische trekken krijgen. Wordt de democratie bijvoorbeeld in abstractie beschouwd als het beste politieke stelsel, of wordt de democratie gezien in samenhang met de staatkundige voorgeschiedenis en binnen de cultuurhistorische context? Bij ons betreft dit de geschiedenis van de Republiek der Zeven Verenigde Nederlanden met de traditie van gespreide verantwoordelijkheden waarbinnen de Oranjes van oudsher een rol speelden. Zien we de democratie als een doctrine waar de werkelijkheid in alle opzichten altijd aan onderworpen dient te worden en die het toetsingscriterium is voor alle andere waarden, of zien we de democratie als een onderdeel van een complex van waarden die in hun onderlinge samenhang tot hun recht moeten komen? De eerste opvatting, de eendimensionale duiding van het democratische principe – dat wil zeggen de democratie als doctrine los van de cultuurhistorische context – leidt al gauw tot starheid en is strijdig met het postmoderne levensbesef, dat elke totale waarheidspretentie afwijst. Het is bovendien contraproductief omdat het kan leiden tot een blinde vlek voor de emotionele kanten van nationale instituties en ten koste kan gaan van de aandacht voor de werkelijke en relevante criteria waaraan het democratische gehalte van een samenleving afgemeten dient te worden. Niet ten onrechte laat de Poolse filosoof L. Kolakowski de waarschuwing horen dat 'al wat tot in zijn extreme wordt doorgevoerd, in zijn tegendeel zal verkeren'.

Het koningschap vloeit niet voort uit de democratische doctrine, maar zolang opiniepeilingen blijven aangeven dat de meerderheid van de bevolking aan dit instituut gehecht is en een parlementaire meerderheid het accepteert, is er in zekere zin sprake van een afgeleide of indirecte democratische legitimatie. Bovendien is het koningschap in Nederland vervlochten met een levende, moderne democratie. Juist door het mythische aspect ervan, door de verbinding met de nationale mythe, onttrekt het koningschap van de Oranjes zich aan de tegenstellingen ouderwets versus modern en democratisch versus ondemocratisch. De Oranjemythe zou daarom gekenschetst kunnen worden als een postmodern fenomeen. Deze mythe is het verhaal, de invalshoek waaronder de Nederlanders gezamenlijk hun geschiedenis en daarmee hun nationale identiteit willen duiden. Hij is waar in de Nederlandse context, zoals de mythe van de Franse Revolutie voor de Fransen waar is en zoals de mythe van de Britse monarchie voor de Nederlanders nooit waar zou kunnen zijn.

De verdedigers van het koningschap noemen de hechte band die al eeuwenlang bestaat tussen Nederland en het Huis van Oranje en prijzen de bovenpartijdige rol en samenbindende functie van het koninklijke staatshoofd. Tegenover de erfelijkheid als risicofactor wordt er gewezen op de ministeriële verantwoordelijkheid, die eventuele ontsporingen tot een minimum zou beperken en op het feit dat de troonopvolgers tegenwoordig uitstekend op hun functie worden voorbereid. Uiteraard wordt niet onvermeld gelaten dat het in de praktijk allemaal goed loopt. Maar toch lijkt het er soms op dat de heersende politieke logica ook de voorstanders van het koningschap niet onberoerd laat. Een inhoudelijke discussie over het koningschap als instituut gaat men kennelijk liever uit de weg en men staat nauwelijks stil bij de vraag naar de eventuele gevolgen van recente politieke en maatschappelijke ontwikkelingen voor het toekomstig functioneren van het koningschap. Zo zien we bijvoorbeeld dat verschijnselen als de globalisering en de Europese eenwording een verschuiving van de politieke bevoegdheden van Den Haag naar allerlei internationale organen tot gevolg heeft. Dit valt samen met de tendens van de relativering van de politiek in het algemeen en de daarmee gepaard gaande veranderde plaats van de politieke partijen in het bijzonder. Deze ontwikkelingen zullen de rol van het staatshoofd ongetwijfeld beïnvloeden. Van het staatshoofd zal namelijk nog meer dan voorheen verwacht worden dat hij de nationale identiteit verpersoonlijkt. De nadruk zal daarbij in toenemende mate komen te liggen op het terrein van de nationale cultuur en steeds minder op de politiek. Alleen al op deze grond is er veel voor te zeggen om het staatshoofd niet bij voorkeur in kringen van politici te zoeken. Voorts betekenen verschijnselen van individualisering en van de multiculturele samenleving een nieuw appel op het koningschap als integrerende factor. Het koningschap dat enerzijds deel uitmaakt van een zeer moderne westerse maatschappij en anderzijds een eeuwenoude traditie belichaamt, zou een brugfunctie kunnen vervullen naar de allochtone bevolking, die veelal afkomstig is uit culturen waar de traditie nog een erg belangrijke plaats inneemt. Ook voor de nieuwkomers zou een koning als constante representant van de Nederlandse samenleving daarom wel eens een gemakkelijker herkennings- en oriëntatiepunt kunnen zijn dan de wisselende presidenten, die meestal voor niet-ingewijden een weinig overzichtelijk partijpolitiek krachtenveld vertegenwoordigen.

Een functie die we serieus nemen, behoort van tijd tot tijd geëvalueerd te worden. Dat geldt ook voor het koningschap. Het is erg jammer dat men meestal niet veel verder komt dan de suggestie om de rol van het staatshoofd te beperken tot louter ceremoniële taken, zoals in Zweden het geval is. Voor ons land zou dat niet zo'n erg voor de handliggende keus zijn, omdat we in Nederland nu eenmaal weinig op hebben met louter ceremoniële gebruiken. Maar het is ook kortzichtig en weinig creatief. Koninklijke macht past niet meer in onze democratische tijd, maar waarom zouden we ons niet afvragen op welke wijze een functie, die er nu eenmaal is en die een breed draagvlak heeft, binnen de democratische kaders toch zo zinnig mogelijk benut kan worden? Het koningschap is een eigensoortig fenomeen dat de ruimte moet krijgen om als zodanig te functioneren. Ook de toenemende behoefte aan transparantie en aan enig zicht op de persoon achter de functionaris vragen om meer ruimte voor een persoonlijker invulling ervan. In het licht van deze ontwikkelingen valt er veel te zeggen voor het standpunt van oud-premier Ruud Lubbers om niet 'al te angsthazig' te zijn bij de interpretatie van de ministeriële verantwoordelijkheid. Er pleit veel voor om eens na te gaan of en hoe we op een wat meer ontspannen manier met dit overigens waardevolle constitutionele principe om zouden kunnen gaan.

Het zou natuurlijk kunnen dat het koningschap uiteindelijk toch steeds meer gezien gaat worden als wezensvreemd aan een 'onttoverde' maatschappij. Er is immers een onmiskenbare spanning tussen de gewoonheid, de alledaagsheid, die inherent is aan de moderne democratische samenleving, en de intrinsieke logica van het koningschap, die juist verlangt dat de koning naar het 'hogere' verwijst. Zonder dat blijft er trouwens al gauw niet veel meer over dan de glitter van de 'royalty' en raakt de koning snel verdwaald tussen de decorstukken van een soap-opera.

Maar daar staat tegenover dat het juist de kracht van het koningschap kan zijn dat het niet het product is van de heersende politieke en maatschappelijke logica, zodat het er een aanvulling op kan zijn. Zo visualiseert het koningschap van de Oranjes de nationale mythe. Dit bleek overduidelijk tijdens de Tweede Wereldoorlog toen koningin Wilhelmina vanuit Londen het Nederlandse volk wist te inspireren. Zij werd persoonlijk de incarnatie van de Oranjemythe. Tijdens de regering van koningin Juliana vond er geleidelijk een relativering plaats van het mythische aspect, maar de persoonlijk band tussen haar en het Nederlandse volk werd steeds hechter. Toen koningin Beatrix haar moeder opvolgde was de politieke rol van het staatshoofd inmiddels definitief teruggebracht tot Bagehots drie klassieke koninklijke rechten van 'advies, aansporing en vermaan'.[4] Ondanks de meer zakelijke invulling, die het huidige staatshoofd aan haar functie geeft, blijkt het koningschap ook nu nog uitermate geschikt om op nationale hoogtijdagen kleur te geven aan staatkundige plechtigheden, die anders wat saai zouden kunnen uitvallen, zoals bijvoorbeeld bij de opening van een parlementair jaar op Prinsjesdag. En ook bij droevige nationale gebeurtenissen zoals de Bijlmerramp, de vuurwerkramp in Enschede en de brand in Volendam, blijkt de aanwezigheid van de koningin ook in de eenentwintigste eeuw nog onvermoede emoties op te kunnen roepen. Voor koningin Beatrix dient het koningschap te fungeren als 'hart van de natie'. Geïnspireerd door prins Claus heeft ze, niet zonder succes, daarom ook het culturele element meer bij het koningschap betrokken. Het lijkt erop dat voor prins Willem-Alexander en zijn generatiegenoten de Oranjemythe en het Oranjegevoel onmerkbaar in elkaar zijn overgegaan, uiteindelijk komt het vooral neer op het verlangen op een zinnige manier ergens bij te willen horen. De betekenis van het gevoel 'ergens bij te willen horen' mogen we beslist niet onderschatten, het is van grote invloed op de betrokkenheid bij de publieke zaak en daarmee op de levensvatbaarheid van de democratie.

De mensheid lijkt 'sadder and wiser' geworden. De moderne mens, zowel de burger als zijn koning, is door de scepsis aangeraakt. Waar het de erkenning van de mythe en de verwijzing naar het hogere betreft, is het als met het geloven in de zin der dingen: we staan er niet meer onbevangen tegenover. Er moeten natuurlijk spelers blijven die het spel van de nationale mythe kunnen en willen spelen. Maar een samenleving die leeft heeft altijd iets van een 'societas ludens'. Voor de hedendaagse mondige spelers, de koning en de burgers beiden, zal dit spel soms misschien wat weg hebben van wat de schrijver Frans Kellendonk met een mooie paradox 'oprecht veinzen' noemt. Hij zei er eens van in een interview:

*Nu iedereen intelligent en verstandig is geworden wil ik pleiten voor een ironische manier van geloven. Je mag daarin nooit vergeten dat het om verzinsels gaat, dat je veinst... Het is geen hoger inzicht waaraan de een of andere flits moet voorafgaan, het is de voortdurende wil om de leer waar te maken. Geloven is een vorm van creativiteit, van gemeenschappelijke creativiteit.*

Dit zou ook kunnen slaan op onze omgang met nationale mythen i.c. de Oranjemythe. Met onze democratische principes en rationele afwegingen zouden we het nooit bedacht hebben, maar passend in onze cultuurhistorische context blijkt het koningschap in de praktijk wonderwel met de moderne democratie te kunnen harmoniëren en op cruciale momenten blijkt het er zelfs een waardevolle aanvulling op te kunnen zijn. Zolang de Oranjes op een geloofwaardige en eigentijdse manier de waarden die met de Oranjemythe geassocieerd worden, weten te personifiëren, kan het koningschap op zijn specifieke wijze dienstbaar zijn aan de democratische samenleving. Het fenomeen van het moderne koningschap behoeft dan geen contradictie in te houden, maar kan de functie hebben van een inspirerende paradox.

# 1 Een koninkrijk met een republikeinse traditie

## Een door en door burgerlijke samenleving

De pretentie van republikeinse zijde dat de republiek in Nederland al oude rechten kan doen gelden, is niet zonder grond. Nederland mag dan wel een monarchie heten, maar ons land kent nauwelijks een monarchale traditie. Sinds de afzwering in 1581 van Philips II, die tevergeefs getracht heeft hier het absolutisme te introduceren, was ons land meer dan twee eeuwen een republiek. Uitgezonderd koning Willem I (en Willem II enigszins), heeft later geen van de Oranjes de dominerende positie ingenomen die kenmerkend was voor het monarchale stelsel. Tegenover een zwak ontwikkeld feodalisme namen de steden al vroeg een sterke positie in. Niet absolute vorsten of machtige edelen hebben hun stempel gedrukt op de historische ontwikkeling van Nederland, maar de gegoede burgerij. De zeventiende- en achttiende-eeuwse stadspatriciër vond het prachtig met een nieuw verworven adellijke titel te pronken, maar hij was geen moment van plan zijn leefwijze aan die van de adel aan te passen. De edelman daarentegen imiteerde wel de levensstijl van de stedelijke burger, zelfs als hij op zijn landgoed in Twente, Salland of in het Sticht verbleef. Het beeld van de oude stadscentra in ons land wordt dan ook niet bepaald door paleizen en kathedralen maar door de grachtengordels met de rijke koopmans-huizen. Wat wij paleizen noemen, zoals Soestdijk, Het Loo, het Huis Ten Bosch en het Noordeinde, zijn eigenlijk landhuizen en herenhuizen en deze bouwwerken halen het niet bij Hampton Court van de Windsors, het Versailles van de Bourbons of de Hofburg van de Habsburgers. De ene stadhouder heeft natuurlijk een grootsere staat gevoerd dan de andere, zoals Frederik Hendrik in vergelijking met zijn broer Maurits. Op bepaalde gebieden op het terrein van kunst en cultuur vond het voorbeeld van een stadhouder zeker ook navolging. Zo werd menige rijke tijdgenoot geïnspireerd door de bouwactiviteiten van Frederik Hendrik, maar het was niet zo dat de hofcultuur een stempel drukte op het culturele leven in de Republiek. Dit was ook niet het geval bij de latere stadhouders, die vanaf Willem II door hun huwelijken met koninklijke prinsessen inmiddels toch allemaal verwant waren met Europese koningshuizen. Bijkomstige nadelen van deze burgerlijke traditie zijn, dat onze Hollandse keuken helaas weinig culinaire hoogstandjes kent, zodat we te maken hebben met een sobere inheemse pot, dat hoofse taal ons vreemd is en dat hoffelijkheid niet onze sterkste zijde is. In plaats van het grootse gebaar van de edelman is het bij ons de praktische instelling van de burger, bereid tot overleg en een zekere inschikkelijkheid, maar al gauw saai en geneigd tot kneuterigheid en pietluttigheid. 'Doe maar gewoon, dan doe je al gek genoeg' werd het nationale adagium. De spot met de 'Spaanse Brabander', de berooide edelman en grootspreker in het gelijknamige stuk van Bredero, viel daarom in zeer goede aarde.

## De strijd tegen tirannie als basis

De Republiek der Verenigde Nederlanden, in binnen- en buitenland ook wel de Verenigde Provincies genoemd, vond zijn oorsprong in het verzet tegen de poging van de Spaanse koning om hier in de Nederlanden het absolutisme in te voeren, een streven dat voor die tijd progressief genoemd zou kunnen worden. De opstand is in zijn oorsprong te beschouwen als een conservatieve revolte van de getergde standen ter verdediging van hun bestaande privileges, die ze door de politiek van de koning bedreigd achtten. Dit viel samen met het toenemende verzet tegen de vervolging van de protestanten. Later werd het meer uitdrukkelijk een strijd tegen tirannie en voor de vrijheid. Dit blijkt uit de tekst van de

'Acte van Verlatinghe', een geschrift uit 1581 waarin de Staten-Generaal hun breuk met Philips II motiveerden. En ook de Apologie van Willem van Oranje, waarin hij reageert op zijn vogelvrijverklaring, kan gezien worden als een geloofsbelijdenis voor de vrijheid en tegen onderdrukking. Ernest Zahn zegt hierover: 'Niet de identificatie met de macht (zoals in Duitsland), maar de identificatie met het verzet hiertegen staat aan het begin van de vaderlandse geschiedenis.'[5] Hij wijst er ook op dat het opkomende protestantisme hierbij een belangrijke rol speelde. Hij noemt het protestantisme van meet af aan een progressieve kracht. 'Het smeedde de eenheid van de natie met burgerlijke vrijheden.' Zahn verwijst in dit verband naar de Duitse dichter van de vrijheid Friedrich Schiller, die schreef dat de zestiende eeuw door de Nederlandse opstand 'de stralendste eeuw van de wereld werd'. De Unie van Utrecht werd door de opstellers van de Amerikaanse constitutie in de 'Federalist Papers' uitgebreid en met enthousiasme bestudeerd. In de tijd dat de Unie van Utrecht opgesteld werd, was de invloed van het humanisme al duidelijk op veel terreinen doorgedrongen. Artikel XIII van het verdrag hield daardoor al een erkenning in van de vrijheid van godsdienst. Het stond als volgt beschreven: '... dat een yder particulier in religie vrij sal moegen blijven en dat men niemand ter cause van de religie sal moegen achterhalen of te ondersoucken'. Dit betekende overigens niet dat de hervormde godsdienst geen bevoorrechte plaats innam. Men zou kunnen zeggen dat er sprake was van 'een milde dominantie van het calvinisme'. Niemand werd gedwongen aan de hervormde kerkdienst deel te nemen of zich aan de hervormde kerkelijke tucht te onderwerpen. Lutherse en doopsgezinde predikers werden geduld en er werd rekening mee gehouden dat doopsgezinden gewetensbezwaar konden hebben als het ging om zaken als het afleggen van de eed en het nakomen van schuttersplichten. De rooms-katholieke kerk als openbaar instituut werd weliswaar verboden, maar het katholieke geloof als individuele geloofsovertuiging werd niet vervolgd en in de 'generaliteitslanden' (Brabant en Limburg) en in andere gebieden waar de lokale elite katholiek was, werden rooms-katholieken bijna als vanzelfsprekend in lagere ambten benoemd. De tolerantie kon overigens per gewest verschillen. De vrijheid van geweten werd in Holland vanaf circa 1670 in de praktijk uitgelegd als vrijheid van eredienst. Het typisch Nederlandse 'gedoogbeleid' is dus niet van vandaag of gisteren. Hoewel politiek gevaarlijk geachte geschriften verboden konden

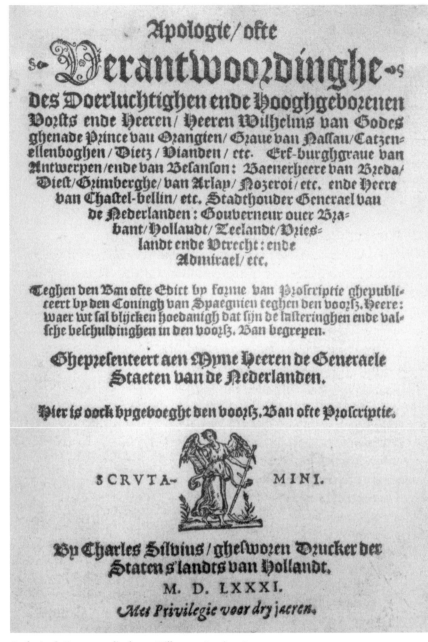

# Apologie / ofte
# Verantwoordinghe
## des Doerluchtighen ende Hooghgeborenen
Vorsts ende Heeren / Heeren Wilhelms van Godes
ghenade Prince van Orangien / Graue van Nassau / Catzen-
ellenboghen / Dietz / Vianden / etc. Erf-burghgraue van
Antwerpen / ende van Besanson: Baenerheere van Breda /
Diest / Grimberghe / van Arlay / Nozeroi / etc. ende Heere
van Chastel-bellin / etc. Stadthouder Generael van
de Nederlanden: Gouverneur over Bra-
bant / Hollandt / Zeelandt / Vries-
landt ende Vtrecht: ende
Admirael / etc.

Teghen den Ban ofte Edict by forme van Proscriptie ghepubli-
ceert by den Coningh van Spaegnien teghen den voorsz. Heere:
waer wt sal blijcken hoedanigh dat sijn de lasteringhen ende val-
sche beschuldinghen in den voorsz. Ban begrepen.

## Ghepresenteert aen Myne Heeren de Generaele
## Staeten van de Nederlanden.

Hier is oock bygevoeght den voorsz. Ban ofte Proscriptie.

SCRVTA- MINI.

## By Charles Silvius / ghesworen Drucker der
## Staten s'landts van Hollandt.
### M. D. LXXXI.
*Met Privilegie voor dry jaeren.*

Apologie ofte Verantwoordinghe van Willem van Oranje, 1581.

worden, was er geen preventieve censuur. Naar de maatstaven van die tijd was de vrijheid van drukpers in de Republiek ongekend groot. Het is niet zo verbazingwekkend dat Amsterdam onder drukkers ook wel 'Vrijburg' heette.

Bij de stichting van de Leidse universiteit, waarbij Willem van Oranje een doorslaggevende rol speelde, werd bepaald dat er niet alleen hervormde predikanten opgeleid zouden worden, maar dat alle wetenschappen en de filosofie er 'vrij en publiekelijk' zouden worden gedoceerd. Hoewel de docenten uiteraard gebonden waren aan de gereformeerde geloofsbelijdenis, behoefde geen enkele student een eed van trouw aan welke religie dan ook af te leggen. In de ons omringende monarchieën was dat wel anders.

## Een staatkundig rommeltje

De Republiek, zoals deze uiteindelijk uit de strijd te voorschijn kwam, was in staatkundig opzicht een onvoldragen geheel. Eigenlijk betrof het een verzameling staatjes die zich aaneengesloten hadden met de Unie van Utrecht van 1579 als grondslag. Bij deze Unie ging het om een verbond 'ten eeuwigen dage' aangegaan tussen de soevereine gewesten om in de strijd tegen Spanje samen te werken. Hierbij was men overeengekomen dat elk gewest zijn eigen bestuur zou behouden. De Staten van de afzonderlijke gewesten en de Staten-Generaal waren instituties die nog dateerden van de Bourgondische tijd. De Opstand had een opwaardering van de Staten tot gevolg doordat de soevereiniteit bij de gewesten kwam te liggen. Bovendien werden de Staten daardoor in bestuurlijke zin enorm geactiveerd. Maar een nadeel van deze gewestelijke soevereiniteit was wel dat de Staten de Staten-Generaal eigenlijk zagen als een vergadering van hun gewestelijke afgevaardigden. Belangrijke besluiten in de Unie mochten alleen met eenparigheid van stemmen genomen worden. Dit kwam de besluitvorming uiteraard niet ten goede.

Toch groeiden de Staten-Generaal uit tot een bovengewestelijk bestuursorgaan met geleidelijk aan meer beslissingsrecht. Er kan nog niet gesproken worden van een uitgesproken nationaal gevoel, maar er was wel een vaag besef bij elkaar te horen. Op de langere duur ontwikkelde de Republiek zich van een statenbond naar een bondsstaat, maar het zou tweehonderd jaar duren, tot de Franse tijd, eer er werkelijk sprake was van een eenheidsstaat.

In de Staten, en daarmee in de Staten-Generaal, nam de regentenstand een over-heersende positie in. In tegenstelling tot veel andere landen werd het bestuur in de Republiek toevertrouwd aan personen die in het maatschappelijke en eco-nomische leven actief waren. Bovendien waren de standen minder scherp afge-bakend dan elders in Europa. Willem van Oranje had indertijd zelfs geprobeerd ook de kleine burgerij invloed te geven door aan de gilden en aan de schutterijen een stem toe te kennen. Maar dat was niet gelukt.

Doordat benoemingen via coöptatie plaatsvonden, kreeg de regentenstand ech-ter geleidelijk aan steeds meer een oligarchisch karakter. Zeker in de achttiende eeuw was dit het geval. In bestuurlijke zin stagneerde de Republiek steeds meer. In de Republiek heerste onvoorstelbare rijkdom, maar de overheid ontbrak het aan voldoende middelen. Hervormingsvoorstellen van raadpensionaris Van Slingeland liepen op niets uit doordat de regenten en de laatste twee stadhou-ders Willem IV en Willem V niets van veranderingen wilden weten.

De structuren en de daarbij behorende machtsverhoudingen in de Republiek waren dus erg onoverzichtelijk. Binnen de Staten-Generaal nam het gewest Holland een allesoverheersende positie in. De raadpensionaris van Holland was een zeer machtig man. Hij was een spin in een web waar veel politieke lijnen samenkwamen. De andere gewesten moesten de Hollandse dominantie met lede ogen aanzien.

Er waren meestal twee stadhouders in functie: de Nassaus in het noorden (die stamden af van Jan de Oude, een broer van Willem van Oranje) en de Oranjes in Holland, Zeeland, Utrecht, Overijssel en Gelderland. In het westen werd het stadhouderschap van de Oranjes door ingrijpen van de regenten onderbroken door twee stadhouderloze tijdperken (1651-1672 en 1702-1748). Het stadhouder-schap was sinds de Opstand overigens een wel zeer merkwaardige functie gewor-den, omdat de stadhouders sindsdien eigenlijk de vertegenwoordigers waren van een landsheer, die ze zelf hadden helpen verjagen. Als plaatsvervanger van deze landsheer en op grond van hun adellijke titels hadden ze voor het gewone volk ontegenzeglijk een vorstelijke allure. Temeer omdat de stadhouders ook een aantal prerogatieven van de vroegere landsheer toebedeeld was, zoals het vergeven van ambten en het recht van gratie. Doordat ze het recht hadden amb-ten te vergeven wisten de stadhouders velen aan zich te verplichten en zodoende ook wel naar hun hand te zetten. Verder waren de Oranjestadhouders tevens opperbevelhebber van leger en vloot. Maar de stadhouders werden wel door de Staten van de afzonderlijke gewesten benoemd. Daar berustte uiteindelijk de soevereiniteit. Als het erop aankwam waren de stadhouders niets anders dan dienaren van de Staten. De Republiek was eigenlijk een staatkundig fenomeen dat in de loop der tijd, met name in de achttiende eeuw, steeds minder opgewassen bleek tegen de eisen van de tijd. De onoverzichtelijke staatsstructuur had veel politiek geharrewar tot gevolg. De spanningen tussen Holland en de andere gewesten, tussen de stadhouder en met name de Hollandse regenten en hun raadpensionaris en tussen rekkelijke regenten en de calvinistische predikanten, gaven daarvoor voldoende aanleiding. Het feit dat de regenten hun politieke stellingname vaak ondergeschikt achtten aan hun familiebanden en hun zakelijke belangen, maakte de politieke situatie vaak nog verwarder.[5a] Veel tolerantie moest er van de meerderheid van de calvinistische predikanten niet verwacht worden. Een voordeel van hun optreden was echter wel dat zich al vroeg zoiets als een publieke opinie ontwikkelde, waarmee rekening gehouden moest worden. Huizinga zegt hierover: 'Uit de Kerk drong in het raadhuis het geluid van een niet-aristocratisch volksbesef voortdurend door.'[6] Het gewone volk, daarin geleid door deze predikanten, stond in de strijd tussen de regenten en de stadhouders aan de kant van de laatsten. De tegenstellingen tussen de Staten van Holland en de stadhouders zijn een constant gegeven in de geschiedenis van de Republiek. Elke keer als de regenten de Oranjes uitgeschakeld hadden, riep het volk als het veronderstelde dat het land in gevaar verkeerde, via orangistische oproeren, om de terugkeer van de stadhouders. Elke keer als deze terugkwamen wisten ze hun positie te versterken. Na het eerste stadhouderloze tijdperk zien we dit bij Willem III, die als stadhouder een bijzonder sterke positie innam. Na het tweede stadhouderloze tijdperk wordt Willem IV zelfs algemeen erfstadhouder, een soort pseudo-monarch. Door zijn merkwaardige staatsstructuur zweefde de Republiek sindsdien wat vaag ergens tussen een republiek en een monarchie in. Maar ook de erfstadhouder was geen soeverein. Hij bleef slechts een dienaar van gewestelijke en generale Statencolleges. 'Hij was een ambtenaar met een belangrijk, maar niet onbegrensd werkterrein.'[7] Na de Franse tijd zouden de Oranjes ten slotte de soevereiniteit toegekend krijgen en de koningstitel verwerven.

## Bezwaren tegen de koningstitel

Vanwege de grotere vrijheid die er heerste, oefende de Republiek aantrekkings-kracht uit op joodse en hugenootse vluchtelingen en op filosofen zoals Spinoza en Descartes, die ergens anders niet konden publiceren. Aanhangers van andere dan de hervormde godsdienst werden niet gelijkgesteld, maar werden zoals we zagen in elk geval gedoogd in hun schuilkerken en er werd hun ook op andere terreinen enige ruimte gelaten. Kortom, er kon in de Republiek meer dan elders. De Republiek der Zeven Verenigde Nederlanden voldeed uiteraard nog niet aan de criteria van de moderne democratie, al was het alleen al omdat het heersende regentendom steeds meer een gesloten oligarchie vormde. Maar daar staat weer tegenover dat deze regenten niet vanuit een hiërarchische structuur opereerden, maar vanuit een collegialiteit. Ook de weinig hiërarchische organisatiestructuur van de calvinistische kerk paste in het burgerlijk-republikeinse klimaat. De waterschappen, waarin alle ingelanden vanouds inspraak kenden, zijn een nog ouder voorbeeld van oorspronkelijk collegiaal overleg.[8] Waar in de monarchieën het volk eeuwen veroordeeld bleef tot onderdanigheid, ontwikkelde zich hier al vroeg zoiets als burgerzin en kon de publieke opinie niet ongestraft langdurig en bij herhaling genegeerd worden.

Het mag duidelijk zijn dat een natie die zich gevormd heeft in de strijd tegen een absolute monarch en waarbinnen zich al vroeg een krachtige burgerlijke en republikeinse traditie ontwikkelde, van nature weinig monarchistisch zal zijn ingesteld. Zelfs in kringen van de Oranjes leefde dit besef. Voor Willem IV en ook voor Willem V bleef de oude constitutie van de Republiek het vanzelfsprekende uitgangspunt. In een brief van 5 maart 1813 schreef Wilhelmina van Pruisen, de weduwe van stadhouder Willem V, aan haar zoon de latere koning Willem I:

*Ik zou U echter sterk moeten aanraden zelfs de schijn te vermijden van een koningschap te zoeken. Ik kan ook niet denken dat dat Uw bedoeling zou wezen, al ware het alleen maar om het vooroor-deel, dat in het land nog lang tegen de titel heeft bestaan.*

De burgerlijk-republikeinse traditie met de spreiding van verantwoordelijkhe-den, de collegialiteit van de bestuurders, die via overleg een consensus nastreven en de algemene afkeer van pretentieuze machthebbers, is de politieke constante in de Nederlandse geschiedenis. We zouden kunnen stellen dat we na de Franse tijd van ons land een koninkrijk gemaakt hebben omdat het Restauratieve Europa dat van Nederland verlangde, omdat we ook een stabielere staatsvorm dan voorheen wensten en vooral omdat de band met het Huis van Oranje er nu eenmaal al was. Alleen in de korte periode van 1813 tot 1848 hebben de Oranje- vorsten een min of meer monarchale positie ingenomen. De grondwetswijziging van Thorbecke in 1848 betekende eigenlijk alweer een terugkeer naar de oude traditie van collegiaal bestuur en gespreide verantwoordelijkheden. Het Neder- landse koningschap is zo specifiek omdat het geworteld is in de Oranjemythe, die zich ontwikkelde tot nationale mythe en omdat dit koningschap het resul- taat is van een langdurig historisch proces waar deze burgerlijk-republikeinse traditie uiteindelijk probleemloos in is opgenomen. Groen van Prinsterer kon op grond daarvan dan ook spreken van het republikeinse karakter van het Neder- landse koningschap. Het verzet tegen het absolutisme zoals dit verwoord werd in de 'Acte van Verlatinghe' klinkt nog na in de eed die de Nederlandse koningen bij hun inhuldiging afleggen. Het is opvallend hoe deze eed vooral voor de vorst een verplichtend karakter heeft. Het is dan ook niet zo verbazingwekkend dat we hier te maken hebben met een betrekkelijk sober, low profile koningschap, waarbij het inhoudelijke aspect liever wat meer accent krijgt dan het louter cere- moniële. Dit moet de verklaring zijn voor het, voor een buitenstaander onge- twijfeld toch merkwaardige verschijnsel dat een bestuurslid van de Oranje- verenigingen in een televisie-interview verkondigt dat hij niet zozeer voor de monarchie is als wel meer speciaal voor het koningschap van de Oranjes. [9] Deze burgerlijk-republikeinse traditie is niet alleen van invloed op de aard van het Nederlandse koningschap, maar ze werkt ook nog door in de huidige poli- tieke verhoudingen en omgangsvormen. Collegiaal leiderschap is het uitgangs- punt gebleven. Een minister-president kan daarom in Nederland niet optreden als een almachtige kanselier of prime-minister. Hij mag zich tegenwoordig dan 'regeringsleider' noemen, hij blijft hoe dan ook slechts de primus inter pares. Een politicus die dit vergeet, heeft het al gauw verbruid. Een gekozen minister- president met aanmerkelijk meer bevoegdheden dan nu, zou strijdig zijn met deze traditie van spreiding van verantwoordelijkheden en collegialiteit van bestuurders. Een voorstel om de zittingsperiode van de minister-president te beperken tot maximaal acht jaar zou daarentegen veel eerder in de lijn van deze traditie liggen.

# De geboorte en de ontwikkeling van een nationale mythe

## Het politieke testament van Willem van Oranje

Het is duidelijk dat de Republiek in staatsrechtelijk opzicht een afwijkend fenomeen in Europa was. Maar de Oranjes namen onder de vorstenhuizen een minstens zo uitzonderlijke positie in gedurende de ruim twee eeuwen dat de Republiek bestond. Geen enkele andere dynastie legde de grondslag voor een republiek, speelde daarin twee eeuwen een vooraanstaande rol en werd daarbij in haar strijd met de maatschappelijk elite van regenten gesteund door de lagere klassen. Amsterdam vormde daarop geen uitzondering. Alsof het allemaal nog niet verbazingwekkend genoeg is, heeft deze dynastie ook nog eens twee revoluties op haar naam staan. De stamvader, Willem van Oranje, verkreeg de eretitel 'Vader des Vaderlands' op grond van zijn verdiensten als leider van de Opstand tegen Spanje in de zestiende eeuw. Stadhouder-koning Willem III redde in de zeventiende eeuw de protestantse Republiek uit handen van de Franse koning Lodewijk XIV en bezorgde het Engelse parlement de overwinning na 'the Glorious Revolution' toen hij zijn schoonvader, de Engelse koning, van de troon had helpen verjagen. Zonder deze Oranjes, en Maurits en Frederik Hendrik niet te vergeten, waren de vestiging en het voortbestaan van Nederland als zelfstandige natie ondenkbaar geweest. Beide Oranjes bestreden het absolutisme uit overtuiging en Willem III kan bovendien als de eerste vorst in de geschiedenis beschouwd worden, die min of meer al volgens het parlementaire stelsel heeft geregeerd. Bij zo'n ontstaansgeschiedenis kan het niet anders dan dat het mythische en het historische element op allerlei manieren met elkaar verweven zijn.

Willem van Oranje begon de strijd als edelman, die de voorrechten van zijn Huis en zijn stand bedreigd zag door de politiek van de Spaanse koning Philips II. Als tolerant man voelde hij bovendien afkeer van de strenge plakkaten tegen de protestanten. Geleidelijk aan ging hij zich meer in het algemeen inzetten voor de vrijheidsgedachte. Uit de reeks manifesten en verklaringen die we van hem kennen, sprak hij zich uit tegen de schending van de privilegiën, tegen de inquisitie, tegen de regering door (Spaanse) vreemdelingen en tegen de vervolging van andersdenkenden. Hij verdedigde de vrijheid van geweten en toonde zich voorstander van aanmerkelijke uitbreiding van de invloed van de Staten-Generaal. Als Oranje in de ban gedaan wordt, reageert hij daarop in 1581 met zijn Apologie. Dit stuk, dat opgesteld werd door zijn Franse hofprediker Pierre Loyseleur de Villiers, is scherp en hartstochtelijk van toon. In dit in vijf talen verspreide verantwoordings- en verdedigingsgeschrift worden zijn politieke opvattingen nog eens helder uiteengezet. Volgens Oranje moet een vorst zijn land rechtvaardig regeren. De volkeren zijn er niet voor de vorsten, maar het omgekeerde is het geval: een vorst heeft het volk te dienen. Het volk heeft daarom het recht een onwaardige soeverein af te zetten. In deze Apologie verwierp Willem van Oranje het absolutisme en rechtvaardigde hij – lang voordat er sprake was van de Amerikaanse 'Declaration of Independence' en de Franse 'Déclaration des droits de l'homme et du citoyen' – de Nederlandse vrijheidsstrijd op grond van het onvervreemdbare recht van oppositie tegen tirannie en schending van rechten. Het Plakkaat van Verlatinge dat de Staten-Generaal in dezelfde tijd opstelden, ademde natuurlijk eenzelfde geest. Burgerlijke ongehoorzaamheid werd hier religieus en moreel gerechtvaardigd. Hoewel het uit reactie op de Franse tijd later altijd wat is weggemoffeld, valt niet te ontkennen dat deze geschriften al de kiemen in zich dragen van democratie en van de leer van de volkssoevereiniteit. Het kan daarom geen toeval zijn dat er weer een herdruk verscheen van de Apologie in 1789, het jaar waarin de Franse Revolutie uitbrak. Vrijheidshelden zoals Washington en Simon Bolivar lieten zich later inspireren door Oranjes opvattingen en strijd. De Apologie is het politieke testament van een staatsman die zijn tijd ver vooruit was.

Nederland zou zich hiervan wat meer bewust mogen zijn en zich er wat trotser op kunnen tonen. Het meest passende monument voor Oranje zou de introductie geweest zijn van een 'Dag van de Apologie'. Maar extra feestdagen zitten er niet zo gauw in. We zouden echter Koninginnedag of Prinsjesdag ook inhoudelijk zo kunnen invullen dat de politiek-filosofische impact van Oranjes boodschap geactualiseerd wordt. Koninginnedag als volksfeest mag natuurlijk niet verloren gaan, maar een meer inhoudelijke reflectie op de oorsprong van de Oranjemythe zou er iets extra's aan toe kunnen voegen. Ter gelegenheid van een toekomstige troonswisseling zou men kunnen kijken hoe dit aspect in het geheel van de viering betrokken kan worden. Hierbij zou ook passen dat alle nieuwe kiesgerechtigden en alle nieuwe ingezetenen als afronding van hun 'inburgeringsproces' een in modern Nederlands opgestelde samenvatting en een geactualiseerde uitleg van de Apologie eventueel in combinatie met het Plakkaat van Verlatinge, toegestuurd krijgen. [10]

## De Oranjemythe en zijn historische wortels

Al in de oudste historische werken waarin sprake is van de Opstand tegen Spanje werd Oranje geroemd zoals in de 'Annales' van Hugo de Groot en in de 'Nederlandsche Historiën' van P.C. Hooft. Om een nationale mythe te zijn, in de zin zoals Huizinga spreekt van een waarlijk nationale schat, stelt hij dat een historische voorstelling moet culmineren in een heroïsche eenheid: '... in het beeld van een persoon, of van een strijd, of van een idee'. Oranjes leiderschap in de strijd tegen Spanje en zijn inzet voor de eenheid van de Nederlanden gecombineerd met zijn uiteindelijk martelaarschap vormen de basis voor de Oranjemythe. In deze mythe werd de ontstaansgeschiedenis van Nederland als een strijd voor vrijheid en onafhankelijkheid onlosmakelijk gekoppeld aan het Huis van Oranje. De stamvader Willem van Oranje werd de 'Vader des vaderlands'. Zijn laatste woorden 'Mon Dieu aie pitié de mon âme et de ce pauvre peuple' werden oneindig veel keren geciteerd. Uit het Wilhelmus spreekt nog de geest van Oranjes Apologie en het houdt als volkslied de Oranjemythe levend.

'In Oranje en de vestiging van de Nederlandse staat', een boek waaraan J.W. Berkelbach van der Sprenkel in 1944 de laatste hand legde, stelt deze daarover met het gevoel voor drama dat bij die tijd ongetwijfeld paste:

*Op de 10de juli (1584) ontstond, dank zij Balthasar Gerard, de mythe van Oranje, die voor het Nederlandse volk, in de zestiende eeuw, maar ook in latere eeuwen en zeker niet in het minst in onze jaren, van het allergrootste belang is geweest. Hoeveel kritiek dat volk ook, vaak terecht, op de daden der latere Oranjes heeft gehad, de dood heeft de Zwijger gemaakt tot de martelaar, die als de Goede Herder zijn leven gesteld had voor zijn schapen.*

En...'Hij heeft gestreden voor ons, voor onze vrijheden, voor de vrijheid van godsdienst, voor de erkenning van de rechten van de menselijke persoonlijkheid', zegt de mythe. 'Hij heeft in die strijd alles geofferd, waarmakende wat de vierde strofe van het Wilhelmus hem reeds voor 1572 in de mond legde':

*Lijf en goet al te samen*
*Heb ick u niet verschoont.*

Berkelbach van der Sprenkel concludeert dan: 'Zo is de mythische Oranje en de mythische Oranje is onsterfelijk.'[11] Het scherpe onderscheid dat hij vervolgens maakt tussen de mythische Oranje en de historische is van wezenlijke betekenis. Het is goed hierop terug te komen.

De rol van Willem van Oranjes zoons en opvolgers, eerst Maurits en later Frederik Hendrik, beiden militairen van Europese allure, heeft de Oranjemythe nog versterkt. De calvinistische predikanten gaven deze mythe bovendien een religieuze geladenheid. God zou Oranje aan Nederland geschonken hebben zoals de koningen in het Oude Testament aan het volk van Israël geschonken waren. Willem van Oranje was de Mozes die het volk van de Spaanse, roomse farao heeft bevrijd. In hun ogen waren de Oranjes per definitie protestantse geloofshelden.
Hoewel aanvankelijk nogal wat katholieken Oranje als de sluwe afvallige beschouwden, was dit niet meer het geval bij Rogier. Maar de katholieke historicus L.J. Rogier wenste Oranje ook volstrekt niet te beschouwen als 'de paladijn

NEDER-LANDTSCHE
GEDENCK-CLANCK.

Kortelick openbarende de voornaemſte geſchiedeniſſen van de ſeventhien Neder-Landſche Provintien, 't ſedert den aenvang der Inlandſche beroerten ende troublen, tot den Iare 1625.

*Verciert met verſcheydene aerdige figuerlicke platen,*

*ENDE*

*Stichtelijcke Rimen ende Liedekens, met aenwijſingen, ſoo uyt de H. Schriftuere, als uyt de boecken van geleerde Mannen, tot verklaringe der uytgevallen ſaecken dienende.*

De Liedekens (meeſt alle nieu zijnde) geſtelt op Muſyck-noten, ende elck op een verſcheyden Vois, beneffens de Tablatuer vande Luyt ende Cyther.
Alles dienende tot ſtichtelijck vermaeck ende leeringhe, van allen Lief-hebbers des Vaderlants.

*Door*

ADRIANUM VALERIUM.

*Canon met 4.*

Neemt my inder hand, Hoort i'nt kort verklaren, Wat ons hier in't Land Al is weder-varen.

*TOT HAERLEM,*

Gedruckt voor d'Erfgenamen vanden Autheur, woonende ter Veer in Zeeland. 1626.

*Met previlegie voor ſes Iaren.*

Titelpagina van Valerius' Gedenckclanck, 1626.

der Reformatie'.[12] Hij wees erop dat Oranje met zijn verdediging van de gods-dienstvrijheid zijn tijd ver vooruit was en meer verwantschap toonde met de humanist Erasmus dan met de felle calvinisten. Het drievoudige snoer 'God, Nederland en Oranje' waarin de protestanten hun versie van de Oranjemythe samenvatten, zou hij graag inleveren voor de trits 'Erasmus, Nederland en Oranje'. Want voor Rogier en ook voor de meer vrijzinnigen en de joden beli-chaamt de Oranjemythe behalve de strijd voor nationale onafhankelijkheid vooral het tolerantiebeginsel. De calvinist zal er onmiddellijk op wijzen dat Rogier geen recht doet aan het calvinisme, dat met zijn principiële scheiding tussen kerk en staat het individu eveneens een zekere ruimte liet.

In elk geval heeft deze mythe vanaf de late zestiende eeuw een wezenlijke rol gespeeld in de Nederlandse geschiedenis. In de steeds weer terugkerende strijd tussen Oranje en de regenten koos het volk voor Oranje als verpersoonlijking van de hierboven geschetste mythe en daarmee van de nationale eenheid. Huizinga zegt daarvan:

*De heilzame werking van den gebrekkigen staatstoestel is alleen mogelijk geweest door die grootste anomalie van alle, de positie van het Huis van Oranje. Vorst en toch niet soeverein, bekleed met een aanzien, dat aan majesteit grensde, telkens weer in persoon werkzaam als opperbevelhebber te velde, had de Prins een onzichtbare macht achter zich in de liefde in de harten van het volk, een liefde die op dankbaarheid aan den Vader des Vaderlands gegrond was, en die, als de nood aan de man kwam, steeds sterker bleek dan de wil van de regerende aristocratie.*[13]

Voor- en tegenstanders van Oranje hebben hun sporen nagelaten in de Neder-landse literatuur. Een interessante samenvatting daarvan staat op naam van dr. W.J.C. Buitendijk.[14] Als de krachtigste factor in het ontstaan van de Oranjemythe moet natuurlijk het Wilhelmus genoemd worden. Maar velen voelden zich geïn-spireerd, zoals Adriaen Valerius met zijn klaaglied op de dood van Oranje in zijn Nederlandsche Gedenckclanck. Van de grotere dichters uit de Gouden Eeuw die lofdichten tot stand brachten, moeten ook Huygens, Hooft en Revius zijn het vermelden waard. Maurits' daden inspireerden Valerius tot enkele bijzonder mooie nationale liederen zoals 'Gelukkig is het land, dat God de Heer be-schermt'. En 'Wilt heden nu treden voor God den Heere'. Door zijn rol tijdens de bestandstwisten, die eindigden met de onthoofding van de Hollandse raadpensionaris Van Oldenbarnevelt, werd Maurits meer omstreden. Vondel, geen calvinist, schreef niet alleen zijn 'Oranje-Mailied' ter ere van Frederik Hendrik maar ook de tragedie 'Palamedes' op Maurits. 'Scheepspraat' van Huygens, naar aanleiding van het overlijden van Maurits, is al vol verwachting van de daden van Frederik Hendrik. Voor ons is het allemaal wat te hoogdravend. In het lied 'Klachte der Princesse van Oranjen over 't oorloog voor 's-Hertogenbosch' van Hooft is een staaltje van louter poëtische verheerlijking:

*Schoon prinsenoog, gewoon te flonkren*
*Met zuiver' hemelvlam, kan ook*
*De grimmigheid u dan verdonkren*
*En smetten, met een aardsen rook?*

Naarmate de zeventiende eeuw vorderde en verder in de loop van de achttiende eeuw zouden de kritische geluiden jegens Oranje in kracht toenemen.

## Oranje als partijkleur

Die kritische geluiden zijn niet zo verwonderlijk. Terecht maakte Berkelbach van der Sprenkel een onderscheid tussen de mythische en de historische Oranje. Een mythe kan weliswaar zijn grond vinden in het verleden, maar is daarmee uiteraard nog niet identiek aan de objectieve historische feitelijkheid. Anders zouden we ook niet van een mythe behoeven te spreken. Al bij Willem van Oranjes opvolger is er sprake van spanning tussen mythe en werkelijkheid. Maurits was pas 17 jaar toen hij zijn vader opvolgde als stadhouder van Holland en Zeeland en enige jaren later verwierf hij dit ambt ook in Overijssel, Utrecht en Gelderland. Hij ontwikkelde zich tot een briljant strateeg, die gebruikmaakte van de nieuwste technische snufjes, en revolutionaire vernieuwingen doorvoerde op het gebied van de oorlogsvoering. Zijn opname in de Orde van de Kouseband bevestigde zijn internationale faam. Met wapenfeiten zoals de Slag bij Nieuwpoort en het turfschip van Breda is hij de mythische held uit de vaderlandse-geschiedenisboekjes. Maurits omringde zich met edelen, die graag een militaire opleiding bij hem volgden, en met politici, kunstenaars en vernuftelingen (ingenieurs). Hij was een groot liefhebber van paarden, zijn 'allerliefste hovelingen'. Maurits was niet getrouwd. Wel had hij een langdurige verhouding met Margaretha van Mechelen, een jonkvrouw afkomstig uit een katholieke bastaardtak uit het huis Nassau.[15] Bij haar had hij drie kinderen. Bij anderen verwekte hij nog vijf bastaards. De 'one-night-stands' die hij verder nog had, heetten 'de nachtegalen van Zijne Excellentie'. Tegenstanders die over hem schamperden als over een 'schender der vrouwen' en 'een overmatig geile boef' deden dat dus niet geheel zonder grond. Toch werd hij het calvinistische boegbeeld, vooral omdat hij tijdens het Twaalfjarig Bestand, toen de strijd tussen remonstranten en orthodoxe calvinisten woedde, de kant van deze laatsten koos. Zijn keuze werd bepaald op grond van zijn zorg om de eenheid van de staat en om de handhaving van de gereformeerde godsdienst. Maurits en zijn tijdgenoten dachten nu eenmaal nog niet in termen van een pluriforme samenleving. Een staat kon niet zonder een normatief bepaalde identiteit. Voor Maurits behoorde het calvinisme daarvoor de basis te zijn. De gewelddadige beëindiging van dit conflict met als dieptepunt de onthoofding van Van Oldenbarnevelt, heeft het beeld van Maurits niet ongeschonden gelaten. Ondanks zijn enorme verdiensten voor de nationale zaak kon hij hierdoor niet uitgroeien tot een echt nationaal symbool. Van Deursen schetst hem daarom als 'de winnaar die faalde'.

Niet alleen de rol van Maurits tijdens de bestandstwisten is een voorbeeld van het verschijnsel dat het feitelijk historisch optreden van de Oranjes niet altijd in overeenstemming is geweest met de essentie van de Oranjemythe. Een interessante bron voor dit thema uit de tijd van de stadhouders is het boek 'Oranje en Stuart' van P. Geyl.[16] Ook Frederik Hendriks verdienste voor de nationale strijd tegen Spanje is buiten kijf. Zijn verzoenende houding jegens de remonstranten na het conflict tussen Maurits en Van Oldenbarnevelt is prijzenswaardig. Maar uit 'Oranje en Stuart' komt ook het beeld naar voren van een staatsman die niet alleen geduldig en voorzichtig werkte aan de versterking van de positie van zijn huis, maar die een dynastieke politiek voerde die risico's inhield voor de internationale positie van de Republiek en die, zoals Geyl het noemt, een 'denationalisering van het Oranjehof en de Oranjepartij' tot gevolg had die lang nawerkte. 'Mooi Heintje', Frederik Hendrik, wilde het prestige van zijn huis vergroten. Het feit dat zijn vriendschap met de Franse eerste minister De Richelieu hem de titel van Hoogheid opgeleverd had, was voor hem onvoldoende. Zoals gebruikelijk in vorstelijke kringen wilde hij via de huwelijken van zijn kinderen het aanzien van zijn huis nog meer verhogen. Zelf getrouwd met gravin Amalia van Solms wist hij voor zijn kinderen aantrekkelijker partijen aan de haak te slaan. Zijn ene dochter Louise Henriette huwde de keurvorst van Brandenburg, zijn andere dochter Albertine Agnes huwde de Friese stadhouder Willem Frederik. Dit laatste huwelijk is een van de vele verbintenissen waardoor de huidige Oranjes in de vrouwelijke lijn afstammelingen zijn van Willem van Oranje.[17] Zijn zoon, de latere Willem II, trouwde met prinses Mary, een dochter van de Engelse koning Karel I uit het huis Stuart. Dit huwelijk, dat uit dynastiek oogpunt erg aanlokkelijk leek, zou volgens Geyl de bron van veel ellende zijn geweest. In Engeland was er namelijk tussen het parlement en de koning een machtsstrijd aan de gang, die tot een burgeroorlog leidde en uiteindelijk tot de onthoofding van de koning. Door deze dynastieke politiek van Frederik Hendrik, die hij doorzette tegen de wil van de regenten in, dreigde de Republiek partij te worden in het binnenlandse conflict in Engeland. In ons land vonden de regentenoligarchie en de calvinistische gemeente elkaar in hun sympathie voor het Engelse parlement. Pas na de onthoofding van de koning zou de stemming bij het publiek anti-Engels worden. Over de gevolgen van deze huwelijks-verbintenis stelt Geyl: 'De eerste vrucht van Frederik Hendriks dynastieke triomf was dus niet alleen dat de oppositie van de Staten van Holland tegen de stad-houderlijke macht nieuw leven werd ingeblazen, maar ook dat zij tegenover hem als de verdedigers van de nationale staatkunde verschenen.'[18] Geyl gaat er echter aan voorbij dat er nog geen sprake was van nationale staatkunde. Binnen de Republiek stonden twee facties tegenover elkaar die twee tegengestelde visies ontwikkeld hadden. Tegenover de politiek van de Hollandse regenten die primair bekeken werd vanuit (klein-)Hollands perspectief, stond die van Oranje, die de continentale en Oost-Nederlandse en niet-commerciële traditie vertegenwoordigde.[19]

Frederik Hendriks zoon, Willem II (1647-1650), volgde zijn vader op jeugdige leeftijd op en zou slechts zeer kort zijn functie uitoefenen. Toen hij aan het bewind kwam was hij een fuifnummer en een losbol. Zijn geld en zijn tijd besteedde hij vooral aan zijn pleziertjes, aan het kaatsen, aan de jacht en aan de schouwburg. Graag en gul gaf hij ook geld uit aan juwelen voor aantrekkelijke toneelspeelsters. Zijn zwager, de Friese stadhouder Willem Frederik, zei van hem: 'Hij gaat weinich ter kerck, jaecht veul en slaept lang.'[20] Nu niet bepaald

Frederik Hendrik als triomfator door Jacob Jordaens in de Oranjezaal van het paleis Huis ten Bosch.

Willem III prins van Oranje, koning van Engeland, door Caspar Netscher, in het bezit van de Geschiedkundige Vereniging Oranje-Nassau.

het prototype van iemand met een degelijke calvinistische levensstijl. Deze jonge stadhouder, waar niet zonder reden kritisch tegenaan gekeken werd, kreeg dus te maken met een politiek belaste erfenis. Eerder militair dan politicus en onstuimiger dan zijn vader, geraakte hij al gauw in conflict met de regenten-partij. Hij was niet gelukkig met de Vrede van Munster (1648). Een opperbevel-hebber in vredestijd heeft nu eenmaal een minder op de voorgrond tredende rol te spelen. Er valt weinig roem te halen. Hij vond de vrede dan ook een 'dooddag' voor zijn positie. Bovendien behelsden de vredesbepalingen alleen de onafhanke-lijkheid van de noordelijke Nederlanden en dat stond te ver af van het oorspron-kelijke doel. Het gewest Holland wilde na de vrede bezuinigen op de uitgaven voor het leger. Het feit dat een vermindering van de troepen de positie van de stad-houder niet ten goede zou komen, leek hun mooi meegenomen. Zo ontstond er een conflict tussen de stadhouder met de Staten van Holland over de afdanking van de troepen. Na een militaire bedreiging van Amsterdam door de stadhouder volgde er een overeenkomst, die een soort compromis inhield. Er kan gesproken worden van een pyrrusoverwinning, want toen Willem II overleden was, zagen de Hollandse regenten hun kans schoon en voorkwamen ze dat er een nieuwe stadhouder benoemd werd. We spreken dan van het eerste stadhouderloze tijd-perk (1650-1672). Alleen in het noorden bleven de Friese Nassaus als stadhouder in functie.

## Willem III, de enige Nederlandse staatsman op wereldniveau

Met dit stadhouderloze tijdperk was voor de Hollandse regenten onder leiding van de bekwame raadpensionaris Johan de Witt de tijd van de 'ware vrijheid' aangebroken. Ze behoefden nu immers geen rekening met de stadhouder te houden. De handelsbelangen bepaalden meer dan ooit de buitenlandse politiek van de Republiek. Hoewel Oranje toen tegenstrijdige gevoelens kon oproepen, had deze naam nog steeds een mythische klank. Voor het gewone volk, dat ook in die tijd overwegend Oranjegezind bleef, stond Oranje vanwege de Oranje-mythe voor de nationale eenheid en integriteit en werd de stadhouder als de natuurlijke bondgenoot van de massa tegen de gehate regentenelite beschouwd. Een tijdgenoot, Lieuwe van Aitzema, beschrijft dit populistische aspect van de Oranjemythe als volgt: 'Geheel Holland door was het meest alsoo: hoe men berooider, ellendiger en armer wierdt hoe de gemeynte meer riep: "Vive le Prince"...'[21] Ondanks het specifieke karakter van de Oranjemythe had het orangisme onmiskenbaar ook trekken in zich van een kinderlijk vertrouwen in de persoon van de vorst, zoals dat ook wel elders in Europa gesignaleerd werd. Het wordt wel aangeduid met de term 'naïef monarchisme'.[22] Tijdens de stadhouderloze tijdperken was er regelmatig sprake van orangistische oproeren.

De buitenlandse politiek van Johan de Witt om zowel Engeland als Frankrijk te vriend te houden – ook wel aangeduid als de 'eierdans van Johan de Witt' – faalde. Sterker nog, zij besloten gezamenlijk tegen de Republiek op te treden. In 1672, 'het rampjaar', vielen Frankrijk, Engeland, Munster en Keulen de Republiek binnen. Volgens de schoolboekjeswijsheid leek het land reddeloos, was de regering radeloos en het volk redeloos. Wat het laatste betreft, namen de orangistische ongeregeldheden dermate ernstige vormen aan dat de regenten zich genoodzaakt zagen de inmiddels volwassen Willem III in alle waardigheden van zijn voorouders te benoemen. Johan de Witt en zijn broer Cornelis werden door een woedende volksmenigte gelyncht.

Willem III had geen prettige jeugd gehad. Zijn vader, Willem II, was al voor zijn geboorte overleden, zijn moeder Mary Stuart en zijn grootmoeder Amalia van Solms, de weduwe van Frederik Hendrik, waren in voortdurend conflict verwikkeld en hijzelf was van jongs af onderwerp van politieke strijd. Hij toonde zich vroegrijp en ontwikkelde zich tot een wilskrachtige persoonlijkheid met veel zelfbeheersing. Tijdens zijn bezoek aan Engeland roemde zijn oom Karel II zijn begaafdheid, maar noemde hem enigszins misprijzend 'een hartstochtelijk Hollander en Protestant'.[23] Dit was een juiste taxatie.

Met behulp van de vloot onder leiding van Michiel de Ruijter en met inschakeling van de Hollandse Waterlinie en door zijn eigen inzet, vooral wat zijn diplomatieke talenten aangaat, wist deze jonge man van nog slechts tweeëntwintig jaar het land te bevrijden en eervolle vredesovereenkomsten te sluiten. De dankbare Staten-Generaal noemden hem 'De Restaurateur van Onse Staet'. Hij beschikte daarna over grote persoonlijke macht, maar de staatsinstellingen van de Republiek liet hij ongewijzigd. Hoewel er wel sprake van is geweest, net als bij zijn overgrootvader Willem van Oranje en bij Maurits, om hem de grafelijke waardigheid aan te bieden en zelfs om hem tot hertog van Gelderland te

Erepoort, opgericht bij de intocht van koning-stadhouder Willem III in Den Haag, anonieme gravure.

verheffen, achtte hij zelf staatkundige hervormingen politiek minder opportuun. Hij zette althans niet door toen hij hierbij tegenstand ontmoette. Geyl veronderstelde dat het mogelijk toch ook niet spoorde met zijn 'respect voor de overgeleverde staatsvormen'.[24] Hij was gehuwd met een andere Mary Stuart. Als zoon én echtgenoot van een Engelse prinses raakte Willem III betrokken bij de Engelse binnenlandse politiek. Hij bezorgde er in 1689 het parlement de overwinning op zijn katholieke en het absolutisme nastrevende schoonvader Jacobus II. Deze ingrijpende ommekeer noemen de Engelsen 'the Glorious Revolution'. Zoals gesteld werd Willem III, de eerste Oranje die de koningskroon droeg, op grond van deze omwenteling de eerste vorst in de Europese geschiedenis die min of meer als constitutioneel monarch moest regeren omdat hij terdege met het Parlement rekening te houden had. Het kroningsceremonieel waar hij mee te maken kreeg, zou deze steile calvinist kenschetsen als 'sotte paepse ceremonien'.

Als koning-stadhouder was Willem III de grote tegenstander van de Franse koning Lodewijk XIV, die de hegemonie over Europa nastreefde en optrad als de kampioen van het absolutisme en het katholicisme. Er wordt wel gesteld dat Willem III de intenties van Lodewijk XIV te negatief geïnterpreteerd zou hebben.[24a] De buitenlandse politiek die hij op grond hiervan meende te moeten voeren, zou het proces van economisch verval van de Republiek versneld hebben. Maar het feit dat hij steeds weer nieuwe bondgenoten tegen Frankrijk aan zich wist te binden, duidt erop dat veel van zijn tijdgenoten zijn analyse in grote lijnen onderschreven. Willem III manifesteerde zich als een staatsman van Europees formaat en kan beschouwd worden als een van de grootste Oranjes, misschien wel de grootste. Bovendien is Willem III de enige Nederlandse staatsman, die op het cruciale moment een beslissende rol gespeeld heeft in de wereldpolitiek. Voor het Nederlandse volk was Willem III uiteraard primair de Oranje die de protestantse Republiek ervoor behoed heeft dat ze in handen viel van Lodewijk XIV. In een tijdsbestek van een eeuw was deze achterkleinzoon van Willem de Zwijger de vierde Oranjeprins die het Nederlandse volk zeer aan zich verplicht had. Het is duidelijk dat zijn optreden als redder van het vaderland de impact van de Oranjemythe nog versterkt heeft. De geruchten over zijn vermeende homoseksualiteit, die er afbreuk aan gedaan zouden kunnen hebben, zullen nauwelijks tot het gewone volk doorgedrongen zijn.[25] Terecht wordt er wel gesproken van het 'erfcharisma van Oranje'. [26] Deze mythe leek, bij het gewone volk in elk geval, niet meer stuk te kunnen. Maar er zouden wel tijden komen dat de magie ervan zwakker werd, dat er de klad in kwam.

## Populisme leidt nog niet tot democratie

Hoewel het optreden van Willem III dus beschouwd kan worden als een historische bevestiging van de Oranjemythe, betekende het allerminst het einde van de verdeeldheid binnen de Republiek. Na zijn kinderloos overlijden in 1702 ging het stadhouderschap van Holland, Zeeland, Utrecht, Gelderland en Overijssel daarom niet naar zijn politieke erfgenaam, de Friese stadhouder Johan Willem Friso, die van hem de titel van Prins van Oranje geërfd had. De Hollandse, Zeeuwse en Utrechtse regenten zagen weer kansen voor hun 'ware vrijheid' en het tweede stadhouderloze tijdperk brak aan.

Pas in 1747, toen Franse troepen tijdens de Oostenrijkse Successieoorlog Brabant binnengevallen waren en het land weer in gevaar was, volgde weer, na de in die omstandigheden gebruikelijke orangistische ongeregeldheden, het herstel van het stadhouderschap. De stadhouder van Friesland en Groningen werd nu als Willem IV algemeen erfstadhouder van alle gewesten. Inmiddels was men in de loop van de achttiende eeuw, in de tijd van de Verlichting, kritischer geworden en waren er ook nieuwe ideeën ontstaan over volksinvloed. Onder de orangistische actievoerders waren nu zowel mensen die zich lieten leiden door het naïeve vertrouwen in de Oranjeprins die alles wel even zou oplossen, als burgers die ingrijpende staatkundige hervormingen voorstonden. Deze laatsten verwachtten niet alleen dat de stadhouder een einde zou maken aan het onderlinge geharrewar, het nepotisme, de corruptie en het machtsmisbruik onder de regenten, maar ook dat hij volksinvloed mogelijk zou maken. De democratische stroming van de Amsterdamse Doelisten van 1747 en 1748 stond dit bijvoorbeeld voor ogen. Al spoedig waren er onder de Oranjeklanten geluiden van teleurstelling te horen toen duidelijk werd dat Willem IV daar weinig van moest hebben. Zelfs in de jaren tachtig waren er nog burgerlijke patriotten, die Willem V wel koning hadden willen maken om ze tegen de heren regenten te beschermen en die tot hun verdriet moesten ervaren dat de stadhouder daar geen oren naar had.

Het populisme is altijd een wezenlijk bestanddeel geweest van het orangisme. Al tijdens het eerste stadhouderloze tijdperk werden de anti-Oranjegezinde regenten door Jan Klaassen met zijn poppenkast op de Dam in Amsterdam op de hak genomen. De Amsterdamse scheepstimmerlieden, de 'Bijltjes', stonden bekend als vurige Oranjeklanten. De straat koos zo goed als altijd de kant van Oranje. De ongeregeldheden die daaruit voort konden vloeien, komen uitge- breid aan de orde bij Rudolf Dekker, die een onderzoek deed naar rellen en opstanden tijdens de Republiek.[27] Het blijkt dat de rol van de vrouwen daarbij opvallend was. Dit springt vooral in het oog bij de organisatie van de eerste fase, ze opereerden dikwijls in groepen en waren vaak zeer ruw gebekt. Ook in de laatste periode van de Republiek komen we onder de leiders van de Oranje- klanten opmerkelijk veel namen van vrouwen tegen zoals Zwarte Keet en Ruige Keet, Antje Klok 'Het Brielse Konijnwijf', de 'Oranje Meid' en de uit de geschie- denisboekjes bekende Rotterdamse mosselkoopvrouw Catharina Mulder, alias Kaat Mossel. Het waren gewone volksvrouwen en hun optreden was niet bepaald fijnzinnig. Maar zij stonden voor hun overtuiging en waren bereid voor hun Oranjeliefde jarenlange gevangenisstraffen te ondergaan.

Het moet de erfprins, de latere koning Willem I, tijdens een uitstapje als student zelf ook eens overkomen zijn dat hij, door een Leidse achterbuurt lopend, lastig gevallen werd omdat hij geen oranje droeg. Er wordt verteld dat het 'gemeen in een vrolijk gejuich uitbarst, zodra de prins zijn jas open geknoopt en de ster op zijn rok had laten zien'.[28]

Toch moet de klassieke opvatting dat de patriotten tot de burgerij behoorden en de Oranjeklanten hoofdzakelijk tot het lagere volk, op grond van later onder- zoek gecorrigeerd worden.[29] De scheidslijn tussen de partijen liep door alle sociale lagen heen. Niet alleen het lagere volk maar ook een groot gedeelte van de middenstand, het merendeel van de predikanten en veelal de joden waren voor Oranje. Een jonge intellectueel als de advocaat Willem Bilderdijk, die onder meer Kaat Mossel verdedigde, behoorde bijvoorbeeld tot de Oranjeklanten.

Het is daarom te simpel om de patriotten vooruitstrevend te noemen en de prinsgezinden allemaal als reactionair te beschouwen. Een bekend orangistisch publicist als Elie Luzac gaf als verlicht conservatief blijk van grote waardering voor Montesquieu. Een publicatie van zes delen van diens werken die hij ver- zorgde, droeg hij op aan prins Willem V. Er waren nogal wat vooraanstaande

Oranjeklanten die eveneens onder invloed van de Verlichting ingrijpende staatkundige hervormingen voorstonden, maar dan wel in nauwe betrokkenheid met het Huis van Oranje. In hun ogen had de Republiek om een slagvaardige politiek mogelijk te maken een 'eminent hoofd' nodig, dat wil zeggen een vorst en dat zou dan uiteraard een Oranje moeten zijn. Verder stelde de prinsgezinde baron Willem Bentinck in 1749 aan Willem IV voor een ministerraad in te stellen. Laurens Pieter van de Spiegel, die later raadpensionaris zou worden, bepleitte in 1782 bij stadhouder Willem V eveneens de instelling van een ministerraad. Bij dit voorstel zaten al elementen die in de richting van een vorm van ministeriële verantwoordelijkheid gingen.

De opkomst van de Republiek viel samen met de aanwezigheid van enkele grote Oranjes, die in staat waren een belangrijke politieke en militaire rol te vervullen. In de tweede helft van de achttiende eeuw stelde de Republiek als mogendheid weinig meer voor. De glorietijd van Oranje leek ook definitief voorbij. Willem IV was een toegewijd maar conservatief mens. Willem V was beslist niet de nietsnut zoals zijn nakomelinge Wilhelmina later over hem zou spreken. Hij was een erudiet man. Hij sprak zijn talen, was uitermate op de hoogte van het staatsrecht en liet een interessante kunstcollectie aanleggen, maar hij verloor zich in het detail en toonde dan ook weinig daadkracht. Misschien hadden de laatste twee stadhouders zich elders en in rustiger tijden ontwikkeld tot beminnelijke landsvaderlijke vorsten, maar in het prerevolutionaire klimaat van de Republiek in de tweede helft van de achttiende eeuw waren ze niet op hun plaats. Ze wisten niet wat ze met de ontwikkelingen aan moesten. De stadhouder was een regent onder de regenten geworden. Ze hadden te weinig visie om ook maar iets van een overeenkomst te zien tussen de oorsprong van de Oranjemythe en de idealen van de Verlichting. De stadhouders waren te veel onderdeel van het systeem geworden. Ze waren te weinig krachtige persoonlijkheden om zich daarvan los te maken. Inhoudelijk en wat de personen aangaat kwam de historische werkelijkheid van Oranje uit die dagen steeds verder van de Oranjemythe af te staan. De populistische kant van de Oranjemythe heeft ook niet kunnen voorkomen dat democraten, die in de tweede helft van de achttiende eeuw steeds meer aanhang kregen, zich uiteindelijk teleurgesteld afwendden van de stadhouder, toen deze niet bereid en in staat bleek het oude bestel te moderniseren.

## Ondanks ethische pretentie verliest de mythe aan glans

Ook in protestantse kring was de Oranjemythe aan verandering onderhevig. De verschijning van zwakke figuren als Willem IV en Willem V strookte niet met het oorspronkelijke heroïsche karakter van de mythe. In het werk van de dichter Onno Zwier van Haren verschijnt een modernere vorm van Oranjeliefde. De Oranjeliefde betreft nu de liefde voor de Oranjes om Oranje, namelijk als na-komelingen, die de lijn van het roemrijke Nederlandse vorstenhuis voortzetten. Maar Van Haren voegt er nog wat aan toe. Bij hem is Willem IV als Oranje niet langer in de eerste plaats een held, maar hem worden nu vooral zedelijke kwaliteiten toegedacht.[30] Er is sprake van een overstap van een heroïsche naar een ethische inkleuring van de Oranjemythe. Deze zedelijke pretentie krijgt iets moralistisch en heeft als nadeel dat ze zich tegen de levende Oranjes zelf kan keren. Ze zouden immers aan ethische pretenties moeten voldoen waaraan menig mens van vlees en bloed nu eenmaal niet kan of wil voldoen. Enerzijds maakt dit de individuele Oranjes onnodig kwetsbaar. Anderzijds betekent het evenmin een stimulans voor kritisch historisch onderzoek bij de Oranjeklanten omdat duidelijk is dat zo'n ethische pretentie daartegen nooit bestand zal zijn. Ook bij onze latere koningen zal dit verschijnsel zich nog wreken. De Engelsen mochten hun koningen als 'gezalfden' dan lange tijd nog bijzondere krachten toedenken, maar gelukkig voor de prachtige koningsdrama's van Shakespeare besefte deze schrijver, beter dan nogal wat aanhangers van het Huis van Oranje, dat vorsten over het algemeen weinig materiaal leveren voor hagiografieën. Inmiddels had de Oranjemythe aan de vooravond van de Franse Revolutie veel van zijn magie verloren. Tegenover de nationale, orthodox-protestantse, Oranjegezinde ontboezemingen van eerst Onno Zwier van Haren en later Willem Bilderdijk, verguisden de achttiende-eeuwse patriotten in hun schot-schriften en felle hekeldichten Oranje en de Oranjemythe. Een bekend anti-Oranje pamflet 'Aan het volk van Nederland' verscheen in 1781 van de hand van de Overijsselse patriot Joan Derk van der Capellen tot den Pol. Voor geen van de Oranjes had hij een goed woord over. Een duidelijk voorbeeld van een hekel-dicht verscheen op 12 oktober 1782 in het blad 'De Post van de Nederrijn'. Het had de veelzeggende titel 'Aan enen Verrader des Vaderlands'. Het is van de hand van Jacobus Bellamy en slaat op Willem V.

Het begon zo:

*'t Was nacht, toen u uw moeder baarde,*
*Een nacht zo zwart als immer was;*
*Een heir van helse geesten waarde;*
*'t Gevogelt liet een naar gekras*
*Door 't aaklig woud, tot driemaal, horen;*
*De zee werd woedend, klotste en sloeg,*
*Dat zelfs, tot in de hemelkoren,*
*Den eng'len schrik aanjoeg.*

In de twee eeuwen dat de Republiek bestond, waren de geschiedenis van het huis van Oranje en van het Nederlandse volk steeds meer op elkaar betrokken geraakt. De Oranjemythe was op kritieke momenten voor velen een inspirerende kracht gebleken. Grote Oranjevorsten na Willem de Zwijger hadden de impact ervan versterkt, maar vooral in de achttiende eeuw was Oranje steeds minder in staat geweest het partijschap te ontstijgen. Eigenlijk was de Oranjemythe toen nog een nationale mythe in wording. In de loop van de tijd werd het staatkundig onvermogen van de Republiek steeds duidelijker, maar Oranje was niet in staat geweest tijdig aansluiting te vinden bij de nieuwe ideeën die zich aandienden. Pas door externe ontwikkelingen zouden de noodzakelijke staatkundige hervormingen tot stand kunnen worden gebracht en zou er bovendien een einde komen aan de binnenlandse verdeeldheid. Pas toen kon de Oranjemythe ook werkelijk de dimensie van een nationale mythe krijgen.

# 3 Het nationale koningschap van de Oranjes

## De koningsmythe

Ouder dan de Oranjemythe is de mythe van het koningschap. Ook als mensen al langere tijd geen koningen meer kennen, zoals in Oost-Europa, blijkt er toch nog wel zoiets als een collectief en, als het heden tegenvalt, soms zeer geïdealiseerd beeld van de koning te bestaan. Hij is een machthebber van wie de waardigheid minstens zo essentieel is als de macht. Volgens mythische overleveringen zou de koning in relatie staan met het goddelijke en de band belichamen tussen de nog levende generaties en de voorouders en als zodanig werd hij gezien als symbool van continuïteit en traditie en als schakel tussen verleden en toekomst. Aanvankelijk vervulde de koning een rituele en rechterlijke rol en in tijden van oorlog was hij de bevelhebber. De wetgevende taak werd pas later van betekenis.[31] Terwijl wij tegenwoordig ervan uitgaan dat de erfelijkheid van het koningschap als kenmerkend voor dit instituut beschouwd kan worden, is dit in werkelijkheid niet altijd zo geweest. Er waren perioden dat de koningen door de baronnen gekozen werden en in het Duitse Rijk werd de keizer bijvoorbeeld gekozen door de keurvorsten. Behalve uiteraard dynastieke belangen, waren het met name de behoeften aan stabiliteit en continuïteit van de samenleving, die aan de invoering van het beginsel van erfelijkheid ten grondslag liggen. Dit was van algemeen belang en daarvan mocht niet zo maar afgeweken worden. Daarom ontstonden er vaste regels voor het erfrecht. De strijd om de opperheerschappij van de koning was tevens de strijd voor de eenheid van het geheel.

We hebben dus een beeld van de koning als iemand die niet zomaar als een brute machthebber te werk gaat, maar als iemand die orde sticht en deze orde tevens belichaamt en zich daar zelf aan onderwerpt. Dit beeld zou afkomstig zijn van Karel de Grote, die de maatstaf werd voor alle latere koningen.[32] Het koningschap had een bovenaardse glans. Volgens het volksgeloof werden de Franse en Engelse koningen, die ook gezalfd werden, zelfs geneeskrachtige gaven toegeschreven. De koning als gezalfde, vertegenwoordigde God op aarde. De regalia, zoals kroon en scepter, symboliseerden dit. Het is deze mythe die beschreven wordt door Charel B. Krol in 'Als de koning dat eens wist'.[33] Hij wijst erop dat er in veel vertellingen van verschillende volken gewag gemaakt wordt van de rechtvaardige heerser, die vermomd door zijn rijk zwerft om te ervaren hoe zijn volk leeft. In onze literatuur speelt in 'Karel ende Elegast' keizer Karel de Grote de rol van de rechtvaardige vorst, die eropuit trekt om onrecht ongedaan te maken. Een ander thema waar hij de aandacht op vestigt, betreft de onwil en het onvermogen van een volk om het overlijden van een geliefd vorst ook werkelijk te verwerken. Illustratief hiervoor is het verhaal van de Britse koning Arthur, die op het slachtveld dodelijk gewond is geraakt, maar toch ergens zijn tijd zou afwachten om zijn volk te komen redden als het eens nodig zou zijn. Ook over Frederik Barbarossa bestaat een soortgelijke legende. Deze vorst zou in een grot in de Kyffhäuserberg in Thüringen aan een stenen tafel zitten slapen, met een witte baard, die inmiddels tot op de grond zou zijn uitgegroeid. Ook hij zou in afwachting zijn van het moment dat hij zal ontwaken om het Duitse volk te komen helpen als het in gevaar zou komen.

In gebieden waar het koningschap op het Germaanse recht gebaseerd was, droeg het nog lang resten van volksinvloed in zich. De basis van dit koningschap is niet de monarch als alleenheerser. Maar in de loop van de zestiende eeuw werd op grond van het Romeinse recht, waarin de heerser boven het recht geplaatst is, de absolute macht van de vorst gepropageerd. De katholieke scholastiek gaf een filosofische onderbouwing aan dit absolutisme. Jean Bodin bracht de koninklijke autoriteit als volgt onder woorden: 'Een absolute en voortdurende macht, slechts onderworpen aan God en de goddelijke wet.' In de 'catéchisme royal' kon de jonge koning het nog sterker lezen: 'Dat Uwe majesteit steeds voor ogen houde dat hij een plaatsvervanger van God is.'[34] Deze absolute monarchie was de stuwende kracht achter de ontwikkeling van de nationale eenheidsstaten en legde de basis voor de moderne bureaucratie. Tegen de invoering van dit type monarchie wisten de Nederlanders zich tijdens de Tachtigjarige Oorlog met succes te verzetten. Ook in Engeland liep het absolutisme op een mislukking uit. Waar het absolute koningschap wel met succes ingevoerd werd, moeten we ons dit toch weer niet als volstrekt absoluut voorstellen omdat het 'droit divin' dat er wezenlijk mee verbonden is, tevens, zij het ongewild, een beperking inhield. Dit 'goddelijk recht' had namelijk niet alleen een pretenderende functie maar, zoals Kossmann stelt, ook een constitutionele. Het verplichtte de vorst, als stedehouder Gods, om goed, rechtvaardig, zacht en wijs te zijn.[35] Bovendien was het absolutisme beperkt, omdat de staat het particuliere leven minder ver binnendrong dan de moderne dictaturen.

Theoretici over de monarchie stelden dat de koning zelfs niet in staat zou zijn onrecht te doen. Daarvoor moest je bij zijn dienaren zijn. De 'impeachment' van ministers was in Engeland eigenlijk al heel vroeg een traditie.[36] Volgens Krol bestond de onschendbaarheid van de koning daarom als het ware al voordat deze in de vorm van een grondwetsartikel in de moderne constituties werd vastgelegd. Het gevolg van deze onschendbaarheid was dat men zich tot het uiterste inspande om een formeel conflict met de koning te voorkomen. Hij geeft hiervan verschillende voorbeelden. Willem van Oranje beriep zich erop dat hij de koning van Spanje altijd had geëerd. Een andere beroemde vrijheidsheld, George Washington, noemde rond 1776 de Engelse troepen van George III nog de 'ministerial troops'. Ook hij meende nog de schijn te moeten ophouden dat hij niet de koning bestreed maar zijn slechte ministers. Zelfs in de eerste periode van de Franse Revolutie gingen revolutionairen van de fictie uit dat ze handelden in de geest van hun welwillende koning. En ook bij de eerste Nederlandse socialisten speelde aanvankelijk nog het thema van de koning die vals zou worden voorgelicht. Klaas Ris, een van de leiders van de Amsterdamse Internationalen,

beweerde graag van koning Willem III dat 'de majesteit werd verneukt'.[37]
De koningsmythe is vooral de hardnekkige mythe van de goede heerser.
In de koningsmythe wordt het aardse gezag in dienst gesteld van 'het hogere'
en het verwijst er tevens naar. Ter illustratie verwijst Krol naar de zeventiende-
eeuwse geleerde uit Oxford, John Case, die de hoogheid van de koning als volgt
schetste: 'Dit erkennen alle grote filosofen, dat de naam des konings heilig is,
omdat in hem het beeld Gods, het beeld der gerechtigheid en het beeld der
gehele gemeenschap wordt gezien'.[38] Maar ook de achttiende-eeuwse Britse
staatsman William Pitt sr. zei over het koningschap, dat in Engeland toch
inmiddels al veel aan macht had ingeleverd, nog: 'There is something behind
the throne greater than the king himself.'

## Eindelijk, de soevereiniteit aan Oranje

Na de Franse tijd verwierven de Oranjes de soevereiniteit en het koningschap.
Iedereen wilde voorkomen dat de verlammende onenigheden uit de tijd van de
Republiek weer de kop op zouden steken. Voor de man in de straat was daarom
meteen duidelijk wat er gebeuren moest. De Kattenburger 'Bijltjes' in Amsterdam
zongen simpelweg en voortvarend 'de prins moet koning in Holland zijn' en het
was verbazingwekkend hoe snel de straten en pleinen oranje gekleurd waren. In
de stegen en sloppen rond de Dam klonk op de deun van een oud volkswijsje
het volgende nieuwe lied:

*Nu zijn de Fransen van de vloer, hoezee!*
*Prins Willem komt weer aan het roer, hoezee!*
*Nu dansen wij weer hand en hand*
*Voor 't oude lieve Vaderland.*
*Vivat Oranje, hoezee!* [39]

Een aantal vroegere regenten onder leiding van Gijsbert Karel van Hogendorp
vond dat de Oranjes terug moesten komen en nam daartoe de voorbereidende
stappen. In een vroeg stadium was er al contact tussen de hoge heren en de oud-
zeeman Jacob May, een leidinggevende figuur onder de 'Bijltjes'. Deze laatste
had ook de hand in de volksopstand die in november 1813 in Amsterdam uit-

DEN 30 NOVEMBER A° 1813

Aankomst van de toekomstige koning Willem I te Scheveningen op 30 november 1813, olieverf op paneel door Cornelis van Cuylenburgh.

brak. Later zou hij hierover schrijven: 'Des avonds te zes ure werd de eerste steen gelegd van het Koninkrijk der Nederlanden door het in brand steken van het douanehuisje aan de Nieuwe Brug.'[40] Het is duidelijk dat Jacob May de rol die de Amsterdamse volksmassa gespeeld heeft bij het herstel van de Oranjes niet graag gekleineerd zou willen zien. Als er in Amsterdam al sprake was van voorbehoud jegens Oranje, zou dat ook toen al voornamelijk gezocht moeten worden in de 'grachtengordel'. De 'republiek Amsterdam' blijkt vooral een suggestieve fictie, waaraan de 'gewone' Amsterdammer nooit een boodschap heeft gehad.

Het feit dat prins Willem, de zoon van de laatste stadhouder, de overtocht van Engeland naar Nederland in een Engels marinevaartuig maakte, geeft al aan dat Engeland het herstel van de Oranjes steunde. Maar tussen de 'hoge heren' was er nog wel beraad nodig over de voorwaarden waaronder de soevereiniteit aan Oranje aangeboden zou worden en over de te voeren titel. Onder de regenten waren er begrijpelijkerwijze toch gevoelens van nostalgie naar de bevoorrechte positie die de aristocratie ten tijde van de Republiek ingenomen had en over de titel had ook Willem zelf nog aarzelingen. In zijn hart begeerde hij de koningstitel wel, maar als het erop aankwam zou hij liever stadhouder geweest zijn met reële macht, dan koning met te veel constitutionele beperkingen. Bovendien vond hij dat de koningstitel een groter grondgebied veronderstelde.

De geschiedenis van de Bataafse Republiek, uitmondend in de eenhoofdige leiding van Rutger Jan Schimmelpenninck en het koningschap van Lodewijk Napoleon, vormden als het ware een natuurlijke aanloop voor de vestiging van het Koninkrijk der Nederlanden als moderne eenheidsstaat. Tijdens de ballingschap had het er lange tijd echter somber uitgezien voor de Oranjes. Toen de oude stadhouder Willem V in 1806 overleed, leek het wel alsof men hem in Nederland vergeten was. Doordat zijn zoon, de latere koning Willem I, een schadeloosstelling geaccepteerd had uit handen van Napoleon voor het verlies van zijn bezittingen en van de positie van zijn huis, had deze getoond nauwelijks nog enig vertrouwen te hebben in het herstel van de vroegere positie van zijn familie in Nederland. Toch had de Oranjemythe nog zoveel impact en sprak de plaats die het Huis van Oranje in de vaderlandse geschiedenis had ingenomen in 1813 nog zoveel mensen aan dat het voor hen de normaalste zaak was dat op dat moment aan deze dynastie de soevereiniteit werd opgedragen. Ook in kringen van de vroegere patriotten was de periode van 1800 tot 1813 van invloed geweest op hun visie op de natie en de nationale geschiedenis en met name op de rol van de Oranjes daarin.[41] Men werd het daardoor dan ook spoedig eens over de aanstelling van een 'eminent hoofd', dat de eenheid van het gezag zou belichamen zoals deze in de Napoleontische tijd ontstaan was en over de toekenning van de soevereiniteit aan het Huis van Oranje. In de bekende proclamatie van 1 december 1813 staat er onder meer:

*Het is geen Willem de Zesde, welke het Nederlandse volk heeft teruggevraagd, zonder te weten wat het eigenlijk van hem te hopen of te verwachten had. Het is Willem de Eerste, die als Souverein Vorst, naar de wens van de Nederlanders onder het volk optreedt, hetwelk eenmaal door een andere Willem I aan de slavernij eener buitenlandse overheersing werd ontrukt. Uwe burgerlijke vrijheid zal door wetten, door een die vrijheid waarborgende constitutie, zekerder dan tevoren gevestigd zijn.*

De Leidse hoogleraar Joan Melchior Kemper, een vroegere patriot, die deze zinnen in de proclamatie ingevoegd had, was ook degene die het antwoord van de Souverein Vorst aldus formuleerde:

*Ik zal mijne bedenkingen aan Uwe wensen opofferen. Ik aanvaarde wat Nederland mij aanbiedt; maar ik aanvaarde het ook alleen onder waarborging eener wijze constitutie, welke Uwe vrijheid tegen mogelijke misbruiken verzekert.*

Na korte tijd als Souverein Vorst te hebben gefunctioneerd, aanvaardde hij in 1815 de koningstitel op grond van een geheim besluit van het Wener Congres, nadat tot de samenvoeging van België met Nederland overeenstemming was bereikt. De situatie van voor 1795 keerde definitief niet terug. Nederland was een eenheidsstaat geworden met een duidelijk centraal gezag en de grondwet kende de koning uitgebreide bevoegdheden toe. Romein wijst erop dat aristocraten zoals Van Hogendorp en Van der Duyn zich het allemaal toch wel enigszins anders hadden voorgesteld en dat zij hiervan in hun gedenkschriften ook blijk gegeven hebben.

Willem I, koning der Nederlanden, door Jean Baptist van der Hulst, in het bezit van de Geschiedkundige Vereniging Oranje-Nassau.

# De fundering van een nationaal koningschap

Een idealist kan Willem I niet genoemd worden. Tot grote verontwaardiging van zijn ouders was hij bereid geweest ter wille van zijn eigen positie en die van zijn Huis, om Napoleon verregaand, ja vernederend verregaand, ter wille te zijn. Eenmaal aan de macht bleek Willem I voor alles een realistisch staatsman. Hij wilde over reële macht beschikken. Hij streefde een krachtig nationaal koningschap na op een zo breed mogelijke basis en hij wilde van zijn nieuwe rijk, dat ontstaan was door de samenvoeging van de Noordelijke en Zuidelijke Nederlanden, een sterke economische eenheid maken.

Hij was een centralist, die zoveel mogelijk gebruikmaakte van de napoleontische modernisering van het bestuur. Thorbecke noemde hem dan ook een Bonapartist. Critici stelden later ook wel dat het nieuwe koninkrijk eigenlijk een 'napoleontische staat met een oranje gevel' betrof.[42] In elk geval zien we dat Willem I het streven van de Oranjes naar eenheid en soevereiniteit combineerde met de Franse rationele bestuurssystematiek en de verlichte mentaliteit van de vroegere regenten. De verworvenheden van de revolutie werden door hem als het ware genationaliseerd en hij gaf de Oranjemythe definitief een natiebrede basis. Er kan gesproken worden van een geslaagde integratie van traditie en moderniteit.[43]

Zoals de koning ingegaan was op de compromistekst van uitgerekend de oud-patriot Kemper, streefde hij er ook met succes naar vertegenwoordigers van de vroegere patriotten aan zich te binden. Ze werden op talrijke bestuursposten en in hoffuncties benoemd en er werden er nogal wat in de adelstand verheven. Terwijl elders de Restauratie, de periode na de Franse Revolutie, gekenmerkt werd door herstel van de band tussen de vorst en de bevoorrechte aristocratie en pas later de weg van het nationalisme ingeslagen werd, koos hier de koning vanaf het begin voor het perspectief van een nationaal koningschap. De verzoenende manier waarop de koning aan zijn koningschap inhoud gaf, maakte dat dit koningschap in noord-Nederland algemeen aanvaard werd. De vroegere patriot Van der Palm noemde Willem I 'de grootste weldaad der Voorzienigheid, voor het herstelde Nederland, de beste koning dien het zich wensen kon'.[44]

De verdiensten van de koning op het terrein van de economie zijn ongekend groot. Romein plaatst Willem de Eerste in de rij van 'erflaters van onze beschaving' vanwege zijn rol als koning-koopman, als promotor van handel, industrie, bankwezen en techniek. Het is tragisch dat in de door hemzelf zozeer begeerde samenvoeging van de Noordelijke en de Zuidelijke Nederlanden van begin af aan de spanningen ingebouwd zaten die uiteindelijk in 1830 weer zouden leiden tot het uiteenvallen van de jonge eenheidsstaat.

## De Oranjemythe en de koningsmythe ineengeschoven

Nu Oranje de soevereiniteit en de koningstitel verworven had, waren de Oranjemythe en de koningsmythe als het ware ineengeschoven. Dit maakte van de Oranjemythe de nationale mythe bij uitstek. Bovendien was er weer een krachtige Oranjefiguur, die het land na een langdurige periode van malaise een nieuw nationaal perspectief bood. De magie van de Oranjemythe had hierdoor een ongekend krachtige impuls gekregen. In de literatuur veroorzaakte dit aanvankelijk een zeker byzantinisme. Het paternalistische en bombastische Oranjebeeld van dichters als Tollens, Beets en Ten Kate moet voor de meer nuchtere tijdgenoten onverteerbaar geweest zijn. Een enkeling gaf hier ook blijk van, zoals de oud-patriot Willem de Clercq in zijn Dagboek. Hij blijft de combinatie van vaderland en koning vrij wonderlijk vinden en zou in elk geval graag een 'representatief gouvernement' zien.[45] Maar over het algemeen overheerste de verheerlijking van Oranje, zelfs bij een oude patriot als Rhijnvis Feith. Zijn uit 1814 afkomstige gedicht gericht tot de Souvereine Vorst der Verenigde Nederlanden, Zijne Koninklijke Hoogheid Willem de Eerste, luidt:

Door eeuwen, trots op roem en heil in 's Lands Historie'
Door bittere ervaring, duur voor ramp en schand' gekocht,
Heeft de Almacht zelv' beslist, dat Neerlands bloei en glorie
Voor eeuwig aan 't bezit van Nassau is verknocht.[46]

Als oud-patriotten zich al van zulke geëxalteerde ontboezemingen bedienen, is het niet verwonderlijk dat de protestantse versie van de Oranjemythe zich bij Willem Bilderdijk en de mensen van het Réveil, zoals Isaac da Costa, ontwikkelde tot een soort Oranjemystiek. Bilderdijk en de jonge Da Costa waren monarchisten pur sang inclusief het 'droit divin' als legitimatie van het koningschap. De uit deze kringen afkomstige G. Groen van Prinsterer, de grondlegger van de antirevolutionaire of christelijk-historische politieke stroming, heeft onder

Portret van mr. G. Groen van Prinsterer (1801-1876).

invloed van conservatieve politieke denkers als F.J. Stahl getracht het koningschap van de Oranjes religieus te legitimeren. Maar het ging hem wel om het
specifieke koningschap van de Oranjes en zeker niet om de monarchie 'an sich'.
Zijn visie paste volledig in de traditie van de calvinistische predikanten. Er zou
sprake zijn van een bijzondere roeping van dit volk en dit vorstenhuis in zijn
onderlinge samenhang. In tal van toespraken en publicaties zou in protestants-
christelijke kringen, niet zonder emotie, verwezen worden naar het 'drievoudige
snoer' van 'God, Nederland en Oranje', dat niet snel verbroken wordt.[47]

Er is altijd een belangrijke groep protestanten geweest, die een religieuze funde-
ring van het koningschap afwees. In een artikel 'Het koningschap in Nederland'
in Wending van februari 1965 stelt prof. dr. C.L. Patijn dan ook de vraag aan de
orde of Groen van Prinsterer met zijn poging om het Nederlandse koningschap
met het 'droit divin' te verbinden, dit koningschap wel een dienst bewezen
heeft. Zoals L.J. Rogier in dit verband van een 'verminking' van het koningschap
spreekt, noemt Patijn dit een 'Duitse vervalsing'. Rogier en Patijn gingen hier
overigens erg scherp door de bocht. Ze veronachtzaamden het gegeven dat bij
Groen van Prinsterer de term 'droit divin' een andere betekenis heeft dan bij de
theoretici van het absolutisme. Uit 'Ongeloof en Revolutie' blijkt dat voor Groen
het droit divin en het regeren bij gratie Gods samenvallen en dat doet naar zijn
mening elke wettige overheid. Over het herstel van het koningschap in 1813
schrijft hij onder meer:

Misverstand van den elders misschien bedenkelijken titel was ondenkbaar omdat de vorst zowel als
het volk wist dat, op dezen vrijgestreden grond, na de afzwering van den spaanschen landheer, over
landsheerlijke oppermagt geen spraak was, dat geenerlei mogelijk werd gerekend dan naar de
eigenaardigheid ener volkshistorie, met republikeinschen zin en geest doorvoed, en dat de Prinsen
van Oranje nooit een onbeperkt gezag, nooit eenig gezag, dan ter bescherming aller vrijheden, van
aller regten hebben begeerd.[48]

Generaties rooms-katholieke historici hadden een negatief beeld van Willem van
Oranje geschetst omdat ze het maar een huichelaar en een scheurmaker vonden.
Geleidelijk aan was er ruimte ontstaan voor Oranje als vrijheidsstrijder en voor-
vechter van de tolerantie, zoals Rogier dat onder woorden bracht. Bovendien was
er bij de katholieken sprake van 'een uit de religie voortkomende vertrouwdheid

met het koningschap' maar men trachtte het in Nederland over het algemeen niet religieus te funderen.[49] Niet goddelijk recht, maar menselijk recht bepaalde het koninklijk gezag.[50] Ook vanuit een behoefte de maatschappelijke orde te handhaven, bestond er waardering voor het koningschap, terwijl men de Oranje-dynastie tevens erkentelijk was voor haar toewijding aan de nationale zaak en vanwege haar bovenpartijdige opstelling.

In eerdergenoemd nummer van Wending concludeert Patijn dat het gezag van het Nederlandse vorstenhuis minder mystiek is dan elders. Hij vindt het belangrijk dat men 'in 1813 met duidelijke instemming van het volk de historische lijn doortrok, in een besef dat het Oranjehuis deel van het volksbestaan uitmaakt'. Voor hem ligt in de toenmalige eendracht de bron van het huidige gezag. Voor Willem I zal het niet veel anders gelegen hebben. Hij heeft zichzelf niet beroepen op de goddelijke oorsprong van zijn gezag. In tegenstelling tot de andere constituties uit de tijd van de Restauratie, de periode na de Franse Revolutie, was onze eerste grondwet ook niet gebaseerd op een bepaalde staatsrechtelijke theorie.

## Een autocratisch intermezzo

Formeel is het zo dat de Nederlandse koningstitel zijn juridische basis vindt in een geheim plan van het Congres van Wenen (12 maart 1815). Maar dat doet er niets aan af dat het inhoudelijk gezien, dat wil zeggen qua voorgeschiedenis en qua uitwerking en concreet beleid van Willem I, ging om de introductie van een specifiek nationaal koningschap. De kiem voor latere conflicten school in de te grote macht van de koning, die nu eenmaal niet paste in de Nederlandse staatkundige traditie. Het is niet overdreven te stellen dat in de loop van de geschiedenis dat Nederland onafhankelijk was, er nooit een vorst of staatsman geweest is, die over zoveel macht beschikte als deze koning. De constitutie gaf de nieuwe koning zoals gesteld, voor Nederlandse begrippen, wel erg ruime bevoegdheden. Dit is verklaarbaar op grond van de angst voor wanorde in de periode na de Franse Revolutie. Het was ook een algemeen verschijnsel in het Europa van de Restauratie. Bovendien paste de dominerende positie van de koning zowel bij de persoonlijkheid van Willem I als bij de sfeer van inertie die er onder de bevolking in de Noordelijke Nederlanden in die jaren heerste. De negentiende-eeuwse literaire portretten van een Jan Salie en een Pieter Stastok waren hierop zonder

Inhuldiging van koning Willem I in Brussel op 21 september 1815, ingekleurde lithografie door Gibèle naar een tekening van Leroy.

meer van toepassing. Romein zegt daarvan: '... in de leegte van de eerste helft der 19e (eeuw) steekt Oranje van de schoudersopwaarts boven de natie uit'.[51] De koning was een wilsmens, die een krachtig persoonlijk bewind voerde. Willem I was ook nog eens een man die tot perfectionisme neigde en zich met alles bemoeide. Hoewel de koning, niet vrij van populisme, graag optrad als 'Vader Willem', die altijd voor zijn onderdanen klaar stond, gingen deze onderdanen hem later in toenemende mate als een hinderlijke bemoeial ervaren. In het zuiden, het huidige België, was deze overheersende positie van de koning van begin af aan onderwerp van kritiek. Geleidelijk aan liepen de spanningen zo hoog op dat een geestdriftige uitvoering van de opera 'La Muette de Portici' voldoende was om in Brussel op een warme augustusavond in 1830 een opstand te doen uitbreken, die leidde tot een uiteenvallen van het koninkrijk.

In het noorden ontstond er pas na de Belgische opstand serieuze kritiek, vooral toen gebleken was dat de halsstarrige weigering van de koning om de afscheiding te aanvaarden Nederland in ernstige financiële problemen gebracht had. De eens zo populaire vorst kreeg steeds meer kritiek te verduren. Dit betrof zowel zijn beleid als zijn voorgenomen huwelijk met de katholieke Belgische gravin Henriëtte d' Oultremont, een vroeger hofdame van zijn overleden echtgenote, Wilhelmina. In de volksmond heette ze al spoedig 'Jetje Donderhond'. Toen de Belgische afscheiding een grondwetswijziging noodzakelijk maakte, besefte ook de burgerij in het noorden dat de tijd gekomen was om uitbreiding van de eigen politieke invloed te claimen. Het koningschap als instituut was daarbij echter geen moment serieus in het geding. Het woord abdicatie mocht steeds vaker vallen, het woord republiek werd zelden gehoord. Toen hij ertoe geprest werd in elk geval strafrechtelijke ministeriële verantwoordelijkheid te accepteren, evenals de verplichting dat alle Koninklijke Besluiten voorzien zouden moeten zijn van een ministeriële handtekening, gaf Willem I er de voorkeur aan af te treden. Als een diepteleurgesteld man vestigde hij zich als graaf van Nassau in Berlijn, waar hij in 1843 overleed.

Ondanks de verdiensten van Willem I was het voorspelbaar dat uiteindelijk ook in Nederland weerstand tegen de machtspositie van de koning zou ontstaan. Het maatschappelijk-culturele klimaat in Nederland was immers zoals we zagen al eeuwen burgerlijk-republikeins in die zin, dat macht en verantwoordelijkheden altijd gespreid geweest waren en dat elke beslissing stoelde op overleg en compromissen. Het poldermodel dateert niet van Lubbers of Kok, maar is ook echt zo oud als de Nederlandse polders. Als zodanig kunnen de regeerperiodes van Willem I en ook grotendeels nog van Willem II, gezien worden als een autocratisch intermezzo.

# 4 De wederzijdse parlementaire leerschool

## Willem II,
### de man die gelukkig zo graag aardig gevonden wilde worden

Als kroonprins startte Willem II als vreemdeling onder zijn landgenoten. Tijdens het staatsbanket ter gelegenheid van de inhuldiging van zijn vader in 1814 moest hij zich van het Frans bedienen tegenover zijn Nederlandse disgenoten omdat hij het Nederlands onvoldoende beheerste. Zijn jeugd als balling had hij namelijk grotendeels doorgebracht in Engeland en Pruisen. Na zijn studie in Oxford maakt hij als hoofd- en later opperofficier deel uit van de Britse troepen onder leiding van Wellington in Spanje. Als student en als jong militair trok hem vooral de zorgeloze kant van het bestaan. Zijn liefde voor champagne kostte 'Slender Billy', zoals de Hollandse prins in Engeland genoemd werd, zijn verloving met de Engelse kroonprinses Charlotte. De veelvuldige drankgelagen van haar ooms hadden haar kennelijk kopschuw gemaakt voor het al te uitbundig alcoholgebruik van de prins tijdens een bezoek aan Londen. Zijn bevelhebber, Wellington, die hem overigens graag mocht, sprak de sceptische woorden: 'Too much is not to be expected from him.' Toch zou de prins tijdens de slag van Waterloo tegen Napoleon, toen hij bij Quatre-Bras een verwonding aan zijn schouder opliep, veel waardering oogsten. Al valt niet te ontkennen dat Nederlandse bronnen hiervan uitbundiger melding maken dan buitenlandse. Het spektakelstuk van schilder J.W. Pieneman in het Rijksmuseum getuigt er nog van. De blamage van de verbroken verloving werd goedgemaakt door het huwelijk dat de drieëntwintigjarige Prins van Oranje sloot met grootvorstin Anna Pavlovna uit het Huis Romanow, een dochter van de Russische tsaar Paul I. Zij was Russisch-orthodox en is tot nu toe de enige niet-protestantse echtgenote van een regerend Oranjevorst.

Willem II had minder werkkracht en was veel minder evenwichtig en doelgericht dan zijn vader. Zoals wel vaker het geval is met een regerend vorst en zijn troonopvolger, boterde het niet tussen vader en zoon. De spanningen die daarvan het gevolg waren, bleken bijvoorbeeld bij de aanpak van de Belgische opstand. Willem I, de koppigheid in persoon, wilde van geen toegeven weten, maar de Prins van Oranje, die in België populair was, stond een genuanceerdere aanpak voor. Zijn biograaf A. Alberts zegt hiervan:

> Als hij in 1830 voor een van de grote crises in zijn bestaan als lid van het Oranjehuis komt te staan, dan ageert hij op een wijze, die soms overijld, maar soms ook lang niet onverdienstelijk is. Sterker nog het komt voor dat in een bepaalde fase de door hem voorgestelde politiek wezenlijk beter en reëler is dan die van zijn vader. [52]

Willem II was een weinig conformistisch personage, die zich ten zuiden van de grote rivieren altijd beter thuis gevoeld heeft dan in het stijve noorden. Hij verbleef graag in Tilburg, waar hij een paleis had. De naam van de Tilburgse voetbalclub Willem II herinnert nog aan de band tussen deze koning en de stad. Willem II had een niet-Nederlands gevoel voor theater. Op Prinsjesdag reed hij in grootuniform omstuwd door cavalerieofficieren te paard naar de Ridderzaal. Hij was dan ook voor alles militair. Helaas was hij erg ontvankelijk voor beïnvloeding van buitenaf. Dit gegeven gecombineerd met zijn avontuurlijke jeugd en een zekere verveling, die voortvloeide uit zijn positie als troonopvolger, verklaart het feit dat hij zich als kroonprins niet alleen inliet met Belgische orangisten maar ook met Franse en Spaanse politieke avonturiers en ander dubieus volk. Ten tijde van de opwinding rond het voorgenomen tweede huwelijk van Willem I zou hij zelfs betrokken zijn geweest bij kuiperijen tegen zijn vader.

Willem II tijdens de Slag bij Quatre Bras 1815 door N. Pieneman.

Bij de politieke autoriteiten had Willem II dan ook niet zo veel gezag, wel genoot hij veel sympathie door zijn charmante optreden. Bij het gewone volk is deze koning daardoor altijd zeer geliefd gebleven, geruchten over buitenechtelijke escapades deden daar weinig aan af. En Willem II wilde ook graag geliefd zijn. Confrontaties zocht hij niet. Dit is ongetwijfeld van invloed geweest op zijn houding tijdens de Belgische opstand en in 1848, toen hij vreesde dat de februarirevolutie, die elders in Europa woedde, naar Nederland zou overslaan.

## De juiste beslissing op het cruciale moment

In 1818 schreef de toenmalige Prins van Oranje, de latere Willem II, een 'Essai sur le siècle, dans lequel je vis'. Hierin raadt hij de vorsten aan zich open te stellen voor wat er onder de mensen leeft.

De behoefte aan meer vrijheden kon naar zijn mening niet genegeerd worden op straffe van een omwenteling. Als hij in 1840 aan het bewind komt, wil hij anders regeren dan zijn vader en meer luisteren naar de adviezen van zijn ministers. In de dagelijkse praktijk van zijn regering stelt Willem II zich soepeler op dan zijn voorganger. Dit blijkt bijvoorbeeld uit zijn houding tegenover de kerken en uit zijn opvatting over het onderwijs.[53]

Maar Willem II heeft ook een groot deel van zijn leven te maken gehad met de ongewisheid die het gevolg was van de Franse Revolutie. De jaren die hij in ballingschap moest doorbrengen waren er door veroorzaakt en hij veronderstelde dat de Belgische opstand van 1830 het werk was van Franse revolutionairen. Daardoor was hij naarmate hij ouder werd van opvatting veranderd en was zijn weerzin tegen revolutionaire denkbeelden alleen maar toegenomen. Als hij in 1840 koning wordt hebben we te maken met een vorst die wel een andere stijl heeft dan zijn voorganger, maar die toch vast van plan is zijn autocratische positie te handhaven, zeker in de jaren na 1843. Geleidelijk aan wordt echter de roep om een grondwetswijziging sterker. Het hete hangijzer is de invoering van de ministeriële verantwoordelijkheid. Toch wordt een voorstel van de 'Negen mannen' onder leiding van Thorbecke om tot grondwetswijziging in liberale zin over te gaan, in 1844 door een kamermeerderheid nog afgestemd. Deze meerderheid vond dat een eventuele grondwetswijziging moest komen als een 'weldaad van de zijde van het Huis van Oranje'. Deze weldaad bleef vooralsnog uit.

Wezenlijke veranderingen in de grondwet bleef de koning afwijzen, totdat in februari 1848 in Parijs een nieuwe revolutie losbarstte, die spoedig weerklank vond in andere delen van Europa. Zelfs de Oostenrijkse kanselier Von Metternich, de kampioen van de Restauratie en daarmee van orde en gezag, kwam er door ten val. Willem II, die bang was dat de revolutie naar Nederland zou overwaaien, riep de voorzitter van de Tweede Kamer jhr. mr. W. Boreel van Hogelanden bij zich en gaf hem, buiten de zittende ministers om, te kennen dat hij bereid was om alle liberale wensen in te willigen. Daarop kreeg Thorbecke de opdracht een nieuwe grondwet op te stellen. Ook hierbij werden zijn ministers gepasseerd. De koning ging dus in constitutioneel opzicht absoluut niet correct te werk.

De ommezwaai van de koning heeft velen verbaasd. Verschillende overwegingen zijn er genoemd. De gezondheidstoestand van de koning was slecht. Hij leed aan een hartkwaal en zou zich zorgen maken om de toekomstige positie van zijn impopulaire opvolger. Er is ook sprake van dat zijn dochter Sophie, de hertogin van Saksen-Weimar, haar vader in een brief geadviseerd zou hebben het roer om te gooien en als vorst te tonen dat hij zijn tijd begreep. Maar de ommezwaai ligt wel in de lijn van de opvattingen uit zijn jeugd en heeft zeker te maken met zijn al eerdergenoemde neiging om confrontaties uit de weg te gaan. Later zei de koning tijdens een diplomatieke ontvangst hiervan dat hij van zeer conservatief binnen 24 uur zeer liberaal geworden was. Historici hebben meestal een weinig positief oordeel over deze vorst. Politiek relevant is echter het feit dat hij op het cruciale moment de politiek enig juiste beslissing heeft genomen. Deze laatste autocratische regeringsdaad van de Oranjes in 1848 is daarom van essentiële betekenis geweest voor de ontwikkeling van het parlementaire stelsel en van het koningschap in ons land. Na een intermezzo van landsvaderlijk monarchaal bewind van vijfendertig jaar kon Nederland terugkeren naar de burgerlijk-republikeinse traditie van bestuur op basis van gedeelde verantwoordelijkheden en overleg. De gegoede burgerij werd erdoor bij het bestuur van het land betrokken en werd daarmee voor het koningschap gewonnen. De koning heeft niet lang kunnen genieten van de waardering die hij na zijn 'bekering' alom ondervond. Binnen een jaar overleed hij. Willem II was een koning die zo tot de verbeelding sprak van het gewone volk dat sommigen moeite hadden zijn dood te aanvaarden. Er gingen geruchten dat hij niet overleden zou zijn, maar in Rusland zou voort-

## Een koning, die zich een volstrekt andere rol t

Hoe dan ook, koning Willem III heeft geen goede pers, no
persoon. Dr. E. van Raalte stelt dat de koning 'in en met zi
constitutionele Koningschap niet deugde'.[63] Het was te vo
moeilijk een succesvol constitutioneel monarch zou kunn
erfelijkheid van het koningschap een kwetsbaar element e
worden omdat er altijd de kans is dat een troonopvolger m
de koninklijke functie en als de opvoeding daarentegen nu
van de monarchie is omdat de troonopvolger als geen ande
worden voorbereid, dan zat het in beide gevallen fout met
was niet geschikt voor deze functie en hij was ook niet voo
koningschap in de nieuwe constitutionele opzet.

Al als kroonprins heeft Willem III zich fel verzet tegen de i
we grondwet. Hij kwalificeerde de ommezwaai van zijn vad
tie' en liet zich slechts met veel moeite overhalen om niet a
rechten als troonopvolger. Hij had zijn dynamische maar o
vader koning Willem I altijd zeer bewonderd. Ondanks de
opvoeding die de kinderen van Willem II genoten hadden,
de erfprins zich bijzonder thuis bij de autocratische sfeer d
hof van zijn Russische familie van moederszijde. Zelf huldi
cratisch-conservatieve opvattingen over het koningschap e
verbazingwekkend dat hij de rol van koning op grond van
allerminst ambieerde. Tijdens zijn opleiding stonden hem
autocratische koningschap voor ogen dat zijn grootvader e
uitgeoefend hadden. Daardoor heeft hij eigenlijk nooit de g
voor deze nieuwe rol gekregen. Evenmin bestonden er voor
leden waar men op terug kon vallen. De koning en de politi
inhoud gaan geven aan een nieuwe staatkundige opzet en d
geleidelijk aan nieuwe conventies ontwikkelen. Het was vo
school. En de koning toonde zich daarbij een wel zeer onwil
Voor Willem III was het koningschap meer dan een menseli
grond daarvan eiste de koning respect voor de koninklijke v
deze zelf zag. Maar door zijn gedrag maakte de koning het z
moeilijk om dit respect op te brengen. Daar komt nog bij d

leven als een generaal Totleben, een historische figuur, die in de Krimoorlog roem zou vergaren bij de verdediging van Sebastopol.

## Thorbecke: 'De koning is onschendbaar; de ministers zijn verantwoordelijk'

Deze zinsnede vormt de kern van Thorbeckes grondwetswijziging. Het betekende een fundamentele verschuiving in de constitutionele verhoudingen. De onverwachte en totale bekering van de koning bracht het land een ongekend liberale grondwet. Niet de koning, maar de ministers zouden voortaan het politieke beleid bepalen en hiervoor verantwoording afleggen aan het parlement. De term onschendbaar was enerzijds een verhullende omschrijving van het feit dat de koning zijn politieke macht was kwijtgeraakt. Anderzijds werd hiermee zijn verheven rol als boven de partijen staand staatshoofd weergegeven en was het een bevestiging van het mythische aspect van het koningschap.[54] Op grond van dit grondwetsartikel en de constitutionele conventies die er op den duur uit voortvloeiden, heeft de koning zijn macht moeten inruilen voor invloed. Het feitelijk effect van de invoering van de ministeriële verantwoordelijkheid betekende namelijk dat de koning niet alleen op het terrein van wetgeving en benoemingen de handtekening van de ministers nodig had, maar dat hij uiteindelijk voor elke stap die politiek uitgelegd kon worden, afhankelijk was van de instemming van de ministers. De koning kon alleen achter de schermen nog invloed uitoefenen. Deze invloed was voortaan afhankelijk van zijn ervaring en het persoonlijk gezag dat hij verworven had, van zijn overredingskracht en vooral van de bereidheid van de ministers om zich door de koning te laten beïnvloeden. Het is nog maar de vraag in hoeverre de uiteindelijke consequenties van deze ontwikkelingen eigenlijk de bedoeling waren van veel van de negentiende-eeuwse liberalen en zelfs van Thorbecke zelf.[55]

Hoewel het hof Thorbecke van republikeinse sympathieën verdacht, was dit niet het geval. In zijn 'Narede' (1869) stelt hij: 'De republiek vleit de menigte, die in den staat niets meer ziet dan rechten en belangen van individu's.' Thorbeckes constitutionele opvattingen waren noch gebaseerd op het 'droit divin' noch op een kritiekloos aanvaarden van de leer van de volkssoevereiniteit. In zijn organische staatsopvatting, die hij daar tegenover stelde, ging hij uit van onderling van

Weitzel zei in dit verband: 'Men kan in Nederlan
van den Heiligen Geest, zelfs van de goede God,
kwalijk neemt, maar het Huis van Oranje staat e
bare mening.'[60] De keerzijde van deze medaille is
baar door worden omdat hun menselijke zwakh
hen gebruikt kunnen worden, zeker als tegensta
uit te vergroten. Zo begon in de tweede helft van
listische blad 'Recht voor Allen' ene Sicco Roorda
over de koning, die vervolgens anoniem in broch
onder de titel 'Uit het leven van koning Gorilla'.
met elkaar vermengd. De koning zou onder mee
niksnut, die zijn eigen vader vermoord had. Een
zoals Weitzel, die de koning zelfs 'hoogheidswaar
dat de koning zich te buiten gegaan zou zijn aan
ook toegeven dat de koning 'er veel aan hecht en
nuttigs te kunnen tot stand te brengen.'[61] Gelet o
normbesef zou het morele oordeel tegenwoordig
Wat zijn amoureuze escapades aangaat, zou deze
geen gek figuur geslagen hebben tussen twintigst
Mitterrand, Kennedy en Clinton. Als we denken a
schandalen, dan pleit in elk geval voor Willem III
merkelijke financiële nadeel dat hem dit zou bero
aandelenpakket Billiton van de hand deed toen de
dat hij profijt zou trekken van een onwettig tot st
de levenswandel van onze laatste koning was toch
indertijd op grond daarvan voor de functie van ou
duits-Hervormde Kerk zou hebben voorgedragen.
van koning Gorilla' bevatte te veel elementen die h
koning wel kon voorstellen. Deze en andere public
gedrag van Willem III hebben het prestige van het
van het Huis van Oranje in de tweede helft van de
zienlijke knauw gegeven.

van Nederland met zijn verdeling van macht en van overleg was nu eenmaal niet autocratisch, maar in de grond eerder pre-Thorbeckiaans. Men zou zelfs kunnen stellen dat de ideeën van Thorbecke meer verwantschap vertoonden met de Oranjemythe, waar deze ingaat tegen onbeperkte vorstenmacht, dan de autocratische neigingen van de negentiende-eeuwse Nederlandse koningen, die zich daarin niet onderscheidden van hun Europese collega's. Het was Thorbecke die de Nederlandse traditie en zijn tijd mee had. Voor een actie, bijvoorbeeld een staatsgreep, om de ontwikkelingen weer om te buigen was dan ook onvoldoende basis. In de jaren 1866-1868 viel de eindstrijd over de uitleg van de grondwet. In deze periode ging het niet om een strijd tussen de koning en zijn ministers, maar tussen de regering (dus inclusief de koning) en de parlementaire meerderheid. Het conservatieve kabinet Heemskerk-Van Zuylen van Nijevelt probeerde enige malen met steun van de koning tegen een parlementaire meerderheid in te blijven regeren. Ontbinding van de Tweede Kamer door de regering leverde voor deze regering geen meerderheid op. Sinds 1868 is daardoor duidelijk dat geen kabinet te handhaven is dat niet op een parlementaire meerderheid steunt. Hiermee was het politieke primaat van het parlement definitief gevestigd. Een moderne democratie was het land hiermee nog niet. Daarvan zou pas sprake zijn met de invoering van het algemeen kiesrecht in 1918.

## De Oranjemythe bleek tegen een stootje bestand

Koning Willem III legde zich mokkend neer bij de onvermijdelijke ontwikkelingen, die hij niet anders kon zien dan als een verderfelijke uitholling van de koninklijke functie. De invloed die er voor een constitutioneel vorst nog altijd overblijft, stelde bij deze koning minder voor dan mogelijk zou zijn geweest doordat zijn prestige ondermijnd was, doordat het hem aan de noodzakelijke politieke feeling ontbrak en door gebrek aan dossierkennis. Met het anti-autocratische element in de Oranjemythe moeten noch hij, noch zijn twee voorgangers enige affiniteit gevoeld hebben, maar het populistische aspect ervan lag hun wel. Het optreden van Willem III tijdens enkele watersnoden, waaronder die van 1861, deed de mensen goed. In 1863, toen de koning een toespraak hield ter gelegenheid van de viering van het feit dat Nederland vijftig jaar onafhankelijk was,

Feestversiering met de tekst 'Het volk aan Uw Huis gehecht', opgericht ter gelegenheid van het huwelijk van koning Willem III en koningin Emma op de Katterburgerbrug in Amsterdam, 1879, foto A. Greiner.

sprak hij de emotionele woorden: 'Oranje kan nooit, ja, nooit genoeg doen voor Nederland.' Op de kreet 'God behoede de koning', hem toegeroepen door het publiek tijdens de viering van zijn zilveren jubileum in 1871, reageerde hij met zijn machtige stentorstem met 'God behoede Nederland'. Bij zijn jaarlijkse bezoek aan Amsterdam liet de koning zich de enthousiaste begroetingen van de zeer Oranjegezinde bevolking van de 'Willemstraters' en 'Jodenhoekers' altijd graag welgevallen. Een volksvrouw die hem kuste, omhelsde en daarbij uitriep 'en toch ben je mijn Willempje', dat deed hem goed. Maar de koning kon niet meer zoals zijn grootvader, zijn grote voorbeeld, ongehinderd direct met het volk communiceren. Er was sinds 1848 een regerende klasse van deftige burger-heren tussen Oranje en het volk geschoven, die tot op zekere hoogte de plaats innam van het vroegere regentendom. De koning was geen burger en hij was niet deftig. Hij had geen affiniteit met hen en die burgers hadden weinig van doen met wat de koning als 'het volk' beschouwde. En een deel van dat volk raakte steeds meer onder invloed van het opkomend socialisme dat principieel republikeins van aard was. Toch waren er onder de eerste socialisten nog leiders zoals Klaas Ris, die hun hoop aanvankelijk zelfs op deze koning vestigden. Het Amsterdamse volk voelde veel meer rancune jegens de lokale autoriteiten dan jegens Oranje.[69] Naarmate de vorsten zich hier en elders verzetten tegen de groeiende macht van het parlement, verzwakte hun bovenpartijdige positie. Maar daar waar de strijd in het voordeel van het parlement beslist was en de vorst zich ermee verzoend had, nam de symboolfunctie van het koningschap juist in betekenis toe. Desintegrerende tendensen in de negentiende-eeuwse samenleving, zoals bij ons met name de verzuiling en de klassenstrijd, versterk-ten de behoefte aan het koningschap vanwege zijn integrerend vermogen. Op zichzelf bood de Oranjemythe daarvoor in ons land een uitgelezen basis, maar gedurende de regering van koning Willem III was de magie ervan bij het volk behoorlijk aangetast. De oude koning was niet de figuur die de mythe nog nieuw leven in zou kunnen blazen, dat zouden anderen na hem moeten doen. Maar hoopgevend voor de toekomst van het Oranjehuis was in elk geval dat in 1887 de zeventigste verjaardag van de vorst tot verbazing van velen alom enthou-siast gevierd werd en hetzelfde zien we in 1889 bij de feesten ter gelegenheid van zijn regeringsjubileum. De Oranjemythe was kennelijk wel bestand tegen een knorrige oude koning met een wat al te onstuimig verleden.

# 5 Koningsgezinde emoties en republikeinse sentimenten

## De angst voor de opkomst van de massa

De Franse Revolutie en de daaropvolgende revoluties hadden de heersende elites in de negentiende eeuw duidelijk gemaakt wat de massa vermag. Sterker nog, de gegoede burgerij had in veel landen de lagere klassen gebruikt om het 'ancien régime' ten val te brengen. En vervolgens hadden ze met uitsluiting van deze klassen zelf bezit genomen van het regeringspluche. Hierdoor hadden deze heersende machten een kwaad geweten en vreesden ze de buitengesloten groepen, die hun rechten steeds zelfbewuster gingen claimen. Op grond daarvan ontstond bij de elites in de verschillende landen in Europa de behoefte om de massa emotioneel aan de staat te binden en ze meer met de burgerlijke normen te doordringen. Er werden daartoe allerlei festiviteiten georganiseerd met vaak overdadig veel ceremonieel, waarbij alles draaide om de verheerlijking van de staat en de eigen natie. De visualisering van het abstracte begrip staat was daarbij van groot belang. Er wordt wel gesteld dat er toen een 'eredienst van de Staat' ontstond.[70] Indien er geen geschikte tradities voor dit doel bestonden, werden ze er wel voor ontworpen of werden bestaande ceremoniën ervoor geschikt gemaakt. Eric Hobsbawn spreekt in dit verband van 'Invention of tradition'.[71]

Ook nationale mythen werden hiertoe aangepast en uitgebouwd of nieuwe werden gecreëerd. Historici van naam lieten zich hierbij niet onbetuigd, sterker, ze ontleenden hun roem er vaak aan. Zowel de voorstanders van het koningschap als van de republiek gaven er blijk van de betekenis van de emotie met de daarbij behorende mythen en symboliek voor de staatkundige betrokkenheid van een breed publiek te onderkennen.

## De '14 juillet' als onderdeel van de schepping van een nationale mythe

Een voorbeeld van een succesvolle creatie van zowel een nationale mythe als een nieuw nationaal ceremonieel zien we bij het ontstaan van de Derde Republiek in Frankrijk na de val van het Tweede Keizerrijk. De Derde Republiek had een allerminst glorieuze, republikeinse start in 1871. Het land was na de nederlaag in de Frans-Duitse oorlog tijdelijk gedeeltelijk bezet door Duitsland. Er was sprake van een voorlopige staatsregeling. In de 'Assemblée Nationale' hadden de monarchisten de meerderheid. Deze meerderheid was echter verdeeld in Bonapartisten, reactionaire, legitimistische aanhangers van de Bourbons en meer liberale Orléanisten. De verwarring in deze kringen werd nog vergroot door het feit dat een even principieel als wereldvreemd man als de graaf van Chambord, de legitimistische troonpretendent, hardnekkig weigerde de traditionele lelievlag in te ruilen voor de 'tricolore'. Hierdoor was er gedurende enige jaren sprake van een patstelling. Pas in 1879 kregen de republikeinen de meerderheid in de Assemblée en werd er een republikeinse president verkozen.

Léon Gambetta en andere radicale republikeinen begrepen dat een gerichte actie noodzakelijk was om de republiek te populariseren. Ze beseften drommels goed dat de voorkeur voor een bepaalde staatsvorm niet alleen op rationele overwegingen berust en dat de staatkundige instellingen slechts dan gaan leven, als er bij een breder publiek sprake is van emotionele betrokkenheid. Daartoe werd de 'Mythe van de Republiek' gecreëerd en werd er een daarbij passend ceremonieel bedacht. De nieuwe republiek heette de belichaming te zijn van de idealen van de Franse Revolutie, van 'vrijheid, gelijkheid en broederschap'. Ze werd gezien als 'la fille de la Révolution'. Terwille van deze mythevorming moest de geschiedenis behoorlijk worden bijgeschaafd. Heroïsche gebeurtenissen moesten worden uitvergroot. Minder mooie feiten, zoals het bloedige verloop van de revolutie met haar overactieve guillotine en de militaire dictatuur waar de revolutie uiteindelijk op uitdraaide, vroegen uiteraard om retouchering. Publicaties van revolutionaire historici dienden voor de onderbouwing ervan. Het werk van iemand als Jules Michelet uit de romantische school, zelden objectief maar altijd meeslepend, leende zich hier uitstekend voor. Voor deze zeer mythisch ingestelde historicus was de Franse Revolutie niet minder dan 'l'avènement tardif de la justice éternelle'.[72] De keuze voor de Marseillaise als volkslied was voor de hand liggend. Evenmin verbazingwekkend was het besluit van de regering in 1880 om de datum van de val van de Bastille, de veertiende juli, uit te roepen tot nationale feestdag. De Franse historicus Mayeur spreekt van de kracht van de 'Mythe van de Franse Republiek'.[73] De republikeinse propaganda was erg chauvinistisch gekleurd en richtte zich op alle maatschappelijke categorieën. Ook het openbaar onderwijs, dat de republikeinen sterk propageerden, werd ervoor benut. De onderwijsorganisatie 'La Ligue de l'enseignement' had als devies 'Voor het vaderland, met boek en sabel'. Op het eerste feest van de veertiende juli reikte de president aan alle kolonels de nationale driekleur uit. Het vaderland, het leger en de republiek waren hiermee onverbrekelijk met elkaar verbonden.[74] Het beeld van de strijdvaardige Marianne werd het zinnebeeld van het republikeinse Frankrijk.

Het feest van '14 juillet' was gebaseerd op een geconstrueerde mythe, die door een deel van de bevolking nog volstrekt afgewezen werd. Het was een republikeins feest en als zodanig was het een provocatie aan de royalisten.[75] Deze hielden zich afzijdig en sloten hun luiken tijdens de festiviteiten. Toch werd '14 juillet' in de volksbuurten al spoedig met enthousiasme gevierd. Er waren bals op de kruispunten van de straten, vuurwerk en grote militaire parades. Van de beoogde culturele vorming van de massa kwam natuurlijk niet veel terecht. De '14 juillet' had al gauw veel weg van de volksfeesten uit het Tweede Keizerrijk van Napoleon III, waarover de republikeinen zich nog zo kritisch hadden uitgelaten.

De verdeeldheid erover heeft nog erg lang geduurd in Frankrijk, maar uiteindelijk is de 'Mythe van de Republiek', en daarmee het eruit voortvloeiende ceremonieel en de nationale feestdag, zo goed als algemeen aanvaard. Rechtse en linkse presidenten eindigen tegenwoordig hun tv-toespraak met 'vive la république, vive la France'. De mythe is zo'n vanzelfsprekend onderdeel van de publieke opinie in Frankrijk geworden dat voor de gemiddelde Fransman hun republiek zonder meer geworteld is in de Franse Revolutie. De meeste Fransen hebben er geen weet van dat de huidige Franse republiek haar bestaan te danken heeft aan de verdeeldheid indertijd van de monarchistische meerderheid in de Assemblée. Ze kijken over het algemeen verbaasd op als buitenlandse gespreks-partners hun universele pretentie van de Franse Revolutie als basis van alle democratieën wat relativeren. De eerdere succesvolle Zwitserse en Nederlandse opstanden in respectievelijk de veertiende en zestiende eeuw en de Glorious Revolution in Engeland in de zeventiende eeuw of de Amerikaanse Opstand, die ook nog net aan de Franse Revolutie voorafging, zeggen hun weinig. Maar het zou onterecht zijn ze hun pretenties kwalijk te nemen, want de betekenis van een nationale mythe wordt nu eenmaal per definitie niet afgemeten aan het historische waarheidsgehalte ervan, maar aan de mate waarin deze nog een samenbindende en inspirerende functie binnen de nationale gemeenschap ver-vult. Dat is vandaag de dag het geval in Frankrijk. Al valt overigens moeilijk te ontkennen dat de arrogantie van de Franse bureaucratie en de allures en het paternalisme van de politieke elite de veronderstelling rechtvaardigen, dat in deze kringen de traditie van de absolute monarchie nog altijd meer leeft dan het democratische republikeinse sentiment. De overgang in 1958 van de parlemen-taire republiek met zijn principe van collegiale verantwoordelijkheid naar het presidentiële stelsel ligt in het verlengde daarvan en is te beschouwen als een teruggrijpen naar het monarchale principe. Het verschijnsel dat de presidenten van de Vijfde Republiek de indruk wekken meer monarchale pretenties te heb-ben dan de huidige Europese vorsten, Elisabeth II misschien daargelaten, is daar een illustratie van.

## De oorsprong van Koninginnedag

In 1885, vijf jaar na de introductie van het feest van de '14 juillet' in Frankrijk, werd in Nederland voor de eerste keer op 31 augustus, de verjaardag van prinses Wilhelmina, de dochter van koning Willem III, als nationale feestdag gevierd. Ook in Nederland ontstond namelijk de behoefte een breder publiek aan de staat te binden. De gegoede liberale burgerij maakte zich zorgen over de stabiliteit van een samenleving waarin zij nu eindelijk de toon aan kon geven. Men was ongerust over de toenemende nationale verdeeldheid ten gevolge van het emancipatiestreven van verschillende bevolkingsgroepen zoals gereformeerden, rooms-katholieken en socialisten met de daarbij behorende verschijnselen van verzuiling en klassenstrijd. Tijdens feestelijke herdenkingen van historische gebeurtenissen bleek men onderling steeds weer verdeeld over de verschillende interpretaties die mogelijk waren. Nog in 1872 bijvoorbeeld, vlogen katholieken en protestanten elkaar in de haren naar aanleiding van wat een feestelijke herdenking had moeten zijn van de inname van Den Briel. Het was niet zo verbazingwekkend dat politici zoals de liberaal N.G. Pierson aan het konings-huis dachten als aan een natuurlijk nationaal loyaliteitscentrum om de nationale eenheid te bevorderen. De tijd was er rijp voor. Nu de strijd om de politieke macht definitief beslist was in het voordeel van het parlement kon het konings-schap zich ontwikkelen tot een bovenpartijdig instituut. In Engeland had Walter Bagehot, de auteur van The English Constitution (1867) er al eerder op gewezen dat de politieke rol van het koningschap dan wel geminimaliseerd mocht zijn, maar dat het integrerend vermogen ervan juist bijzonder groot was. Het zou een verzoenende en stabiliserende functie kunnen hebben. De bevol-king kan zich nu eenmaal gemakkelijk vereenzelvigen met en voelt zich snel betrokken bij 'a family on the throne'. De monarchie zou naar zijn mening ener-zijds moeten functioneren als een zeer menselijk instituut, maar anderzijds ook moeten verwijzen naar het bovenmenselijke, het verhevene.[76] Het 'koninklijke sprookje' moest gecultiveerd worden om de saaiheid van de dagelijkse politiek te doorbreken en de mensen meer te betrekken bij de vaak kleurloze staat-kundige instellingen. In Nederland met zijn burgerlijk-republikeinse traditie is enige voorzichtigheid jegens het cultiveren van koninklijke sprookjes wel geboden, maar dat wil niet zeggen dat het publiek hier volstrekt ongevoelig voor zou zijn. Belangrijker was echter het bestaan van de Oranjemythe. Het ging erom bij deze nationale mythe aan te sluiten en deze een meer centrale plaats in het volksleven te geven. Net als in Frankrijk waren hier historici, zoals de Leidse hoogleraar Robert Fruin, die zich beijverden de nationale mythe i.c. de Oranjemythe opnieuw historisch te legitimeren, nu als natuurlijk element in het negentiende-eeuwse nationalistische denken. Het waren vooral liberale historici die ervan uitgingen dat de nationale eenheid erdoor versterkt zou worden.[77] Het feit dat het beeld van 'the family on the throne' niet langer bepaald werd door ruziënde Oranjes zoals men decennia lang gewend was, maar door een harmonisch gezin bestaande uit de oude, zij het knorrige koning, zijn jonge echtgenote en hun lieftallige dochtertje, bood nieuwe mogelijkheden voor het vervullen van de functie als symbool van nationale eenheid en continuïteit.

In het liberale Utrechtsch Provinciaal en Stedelijk Dagblad van 26 juli 1885 verscheen een artikel waarin de redactie zijn zorg uitsprak over de toegenomen nationale verdeeldheid en waarin een pleidooi gehouden werd voor het instellen van een nationale feestdag rond Oranje om de saamhorigheid te bevorderen.[78] Er werd daarbij gerefereerd aan de vroegere festiviteiten rond de verjaardag van koning Willem I. De gedachte om de verjaardag van het prinsesje hiervoor uit te kiezen, is minder vreemd dan het misschien lijkt. De koning was in februari jarig, een zeer ongeschikt moment voor een volksfeest, en het prinsesje daarentegen was eind augustus jarig en van haar wist natuurlijk niemand enig kwaad. Bovendien ontroerde het veel mensen dat van dit meisje de toekomst van de oude roemruchte dynastie afhing. Het voorstel viel dan ook meteen bij liberalen en katholieken in goede aarde. In calvinistische kring – toch al geen gezelschap van notoire feestgangers – werd er wat gesputterd over de 'zedenbedervende invloed' van volksfeesten. De socialisten hadden er evenmin behoefte aan. Behalve dat ze principiële bezwaren hadden tegen de erfopvolging, zagen ze het koningshuis nog te veel als de belichaming van een orde waarbinnen de lagere klasse groot onrecht werd aangedaan. Zolang er nog zoveel sociale wantoestanden heersten en het algemeen kiesrecht niet ingevoerd was, kon natuurlijk ook niet verwacht worden dat de socialisten zich volwaardige deelgenoten zouden voelen binnen de nationale gemeenschap. Evenmin bevorderlijk voor een algemene acceptatie van het koningschap was het verschijnsel van de zogenaamde Oranjefuries. Het ging hier om misdragingen jegens niet-vlaggende of niet-feestvierende socialisten door beschonken Oranjeklanten. Toch bleef het Oranjehuis ook bij het 'gewone volk' populair. Troelstra beklaagde zich niet voor niets over 'de ongelofelijke taaiheid van de Oranjemythe onder het volk'.[79] De Nederlandse nationale feestdag was geen feest dat door de overheid was opgelegd zoals de '14 juillet'. Het was het resultaat van particulier initiatief. Het Utrechtsch Provinciaal en Stedelijk Dagblad had de teneur ervan aangegeven door in het bewuste artikel niet het accent te leggen op eerbied en ontzag voor de monarchie maar op liefde en genegenheid voor het Huis van Oranje.[80] Daarom geen festiviteiten waarbij de grandeur van de natie of de majesteit van het koningschap centraal stonden, maar feesten die bedoeld waren om het volk eensgezindheid en liefde voor vaderland en vorstenhuis bij te brengen. Hierbij was er opvallend veel aandacht voor de kinderen. Deze feesten waren in hun kneuterigheid zo typisch Nederlands dat het Prinsessefeest, dat na de dood van Koning Willem III na enkele jaren al overging in Koninginnedag, wel een ongekend succes moest worden.

Eedsaflegging door koningin Wilhelmina bij de inhuldigingsplechtigheid in de Nieuwe Kerk in Amsterdam op 6 september 1898, schilderij van Nico van der Waaij.

# 6 Wilhelmina, de incarnatie van de Oranjemythe

### Een regentes, die de toon zet voor een populair koningschap

De tweede echtgenote van koning Willem III, Emma, was een dochter van de vorst van Waldeck-Pyrmont, een klein, Duits staatje. Kwaad denkenden veronderstelden wel dat de ambitie om koningin te worden haar gedreven moest hebben om te trouwen met de veertig jaar oudere koning. Toch hadden buitenstaanders over het algemeen de indruk dat er sprake was van een harmonieus huwelijk. Koningin Emma was een krachtige persoonlijkheid. Ze was vriendelijk en tactisch, onvermoeibaar, toegewijd en ze toonde zeer veel plichtsbesef. Ze was geen intellectuele vrouw zoals haar voorgangster koningin Sophie, maar ze was wel intelligent, zeer praktisch en ze ging uiterst doelgericht te werk. Na het overlijden van Willem III in 1890 werd de tweeëndertigjarige Emma regentes voor haar tienjarig dochtertje Wilhelmina. Toen in 1884 tijdens de Verenigde Vergadering van beide Kamers het voorstel aan de orde kwam dat een vrouw tot regent benoemd zou worden, had mr. S. van Houten zijn zorg hierover voor zichzelf en zijn toehoorders gerelativeerd met de conclusie dat de Kroon tegenwoordig toch 'veeleer een ornament dan het fundament' in ons staatsbestel zou zijn.[81] Gesteld kan worden dat er tijdens het regentschap van koningin Emma geen pogingen meer gedaan zijn het primaat van het parlement aan te vechten. Ze trachtte dan ook niet om het regeringsbeleid te domineren. De ministeriële verantwoordelijkheid en in samenhang daarmee het parlementaire stelsel, konden zich ongehinderd verder ontwikkelen. Sinds haar regentschap speelden de adviezen van de voorzitters van beide Kamers en van de vicepresident van de Raad van State bij de kabinetsformaties al een wezenlijke rol. Maar dat wil niet zeggen dat tijdens haar regentschap het koningschap louter als ornament fungeerde. Het ging Emma voor alles om de handhaving van de waardigheid van de Kroon.[82] Haar zorg hiervoor bracht met zich mee dat ze aan het hof een stijf protocol handhaafde en dat ze uiterst zorgvuldig en doelgericht te werk ging bij de opvoeding van haar dochter tot staatshoofd. Ze hield zich nauwkeurig aan de constitutionele spelregels, maar haar zorg voor de waardigheid van de kroon hield wel in dat ze de koninklijke prerogatieven veiliggesteld wilde zien. Als er al sprake was van verschil van mening tussen de regentes en haar ministers dan ging het daarover en betrof het vooral benoemingen en promoties, in het bijzonder wat militairen aangaat en verder het verlenen van koninklijke onderscheidingen.[83]

Het meest verdienstelijk heeft koningin Emma zich voor het Nederlandse koningschap kunnen maken doordat ze besefte dat de nieuwe verhoudingen volstrekt andere eisen aan het koningschap stelden. Zoals elders in Europa kwam de nadruk meer nog dan voorheen te liggen op het bevorderen van de nationale eenheid en het belichamen van de nationale identiteit. Zij zag in dat het koningschap alleen als nationaal symbool kan functioneren als de leden van de koninklijke familie gerespecteerd zijn en zich publiekelijk veelvuldig manifesteren. In de tijd van haar regentschap maakten de beide koninginnen daarom tochten door het gehele land. Gevoel voor public relations kon de regentes daarbij niet ontzegd worden. De pers werd altijd van tevoren van een bezoek op de hoogte gesteld. Het kwam voor dat Wilhelmina gekleed was in de klederdracht van de streek waar het bezoek afgelegd werd, wat natuurlijk enthousiasme teweegbracht bij de plaatselijke bevolking en andere keren verscheen ze soms geheel in het wit gekleed. Een jong koninginnetje in het wit, de kleur van de onschuld, die tevens de hoop van het vaderland belichaamde. Geen wonder dat hiermee ook de Oranjemythe weer helemaal witgewassen werd, een goede uitgangspositie aan de vooravond van de twintigste eeuw. Dat Wilhelmina geweten

Medaillon met de portretten van koningin Emma en koningin Wilhelmina en profil in de museumzaal van het Koninklijk Huisarchief. Ontwerp P.E. van den Bossche, naar een foto van A. Zimmermans.

moet hebben dat het koningschap van haar vader niet tot de hoogtepunten in de verhouding Oranje-Nederland gerekend kon worden, blijkt uit haar autobiografie waarin ze over haar moeder stelt: 'Zij heeft door haar zielkundig juist aanvoelen van ons volk haar streven geheel zien slagen om een toenadering tussen volk en kroon, en weer een reële wisselwerking tussen beide tot stand te brengen.'[84]

## De eerste Oranje opgevoed voor het parlementaire koningschap

Boven alles hechtte koningin Emma waarde aan de karaktervorming van haar dochter. Dit had zowel te maken met haar kijk op het koningschap als met de verhalen die ze gehoord moet hebben over haar man en zijn zoons. Wilhelmina had het in 'Eenzaam maar niet alleen' over 'antecedenten in de familie'... waarvan een herhaling tot elke prijs vermeden moest worden en die van grote invloed geweest zouden zijn op haar vorming. 'Dit heb ik steeds beseft. Ieder slap toegeven van mij werd dadelijk streng aangepakt, soms zelfs met verwijzing naar het bedoelde antecedent.'[85] Zodoende waren er maar weinig mensen die meer invloed op haar opvoeding hadden dan haar overleden broers, die ze zelfs nooit gekend had.

Koningin Emma hield dan ook nauwgezet toezicht op de opvoeding van haar dochter. Deze was helemaal ingesteld op haar toekomstige taak en het gewicht ervan werd haar met nadruk en bij herhaling bijgebracht. De godsdienstige vorming, die Emma het meest persoonlijke element van de opvoeding achtte, nam ze zelf ter hand. Wat de andere aspecten van de persoonlijkheidsvorming betreft, werd er sterk de nadruk gelegd op deugdzaamheid, zelfdiscipline, plichtsbesef, wilskracht, vaderlandsliefde en toewijding aan de taak waar een mens in het leven voor gesteld wordt, stuk voor stuk deugden die hoog scoorden in het burgerlijke klimaat van de negentiende eeuw. De opvoedkundige aanpak van de gouvernante miss E. Saxton Winter was uiteraard helemaal in dezelfde geest. Zij beloofde de jonge Wilhelmina 'to train your character, to make a bold and noble woman out of you, unflinching and strong'.[86] De lager-onderwijsvakken zoals lezen, schrijven en rekenen waren in handen van de heer F. Gediking, een onderwijzer uit Den Haag, die naar het paleis kwam om privé-onderwijs te geven. Ook hem werd gevraagd de prinses 'te doordringen van de zware eischen, die aan een vorst werden gesteld'.[87] Miss Winter woonde zijn lessen meestal bij.

Op de geringste verslapping van de aandacht tijdens deze lessen reageerde zij met een corrigerend fronsen van de wenkbrauwen. Ook koningin Emma wilde de lessen nogal eens bijwonen. Van een argeloze, spontane opvoedkundige interactie zal daardoor zelden sprake zijn geweest.

Toen de oude koning in 1890 overleed, resteerden er nog acht jaren waarin de jonge koningin op het koningschap voorbereid zou kunnen worden. Er was dus geen sprake van een rustige studietijd. Het was een stoomcursus constitutioneel koningschap, waar ze zich aan te onderwerpen had. Zoals de memorie van toelichting op de Voogdijwet van 1888 aangaf, en passend bij de geest van nationalisme die zo kenmerkend was voor het negentiende-eeuwse Europa, zou Wilhelmina een bij uitstek Nederlandse opvoeding krijgen. Koningin Emma, die aan het hof zelf alleen Nederlands wenste te spreken en de kennis van de vaderlandse geschiedenis van groot belang vond voor een toekomstige vorstin, moet hier geen moeite mee gehad hebben. Wilhelmina's enthousiasme voor de vaderlandse geschiedenis en het Nederlands was hiermee evenmin in strijd. Ze kreeg verder een keur van vakken in de vorm van een op maat gesneden privé-opleiding, die helemaal gericht was op haar toekomstige taak. Behalve de lessen in genoemde lievelingsvakken kreeg ze les in de moderne vreemde talen en verder werd er uitgebreid aandacht besteed aan militaire zaken, aan onderwerpen betreffende Nederlands-Indië en zelfs financieel-monetaire kwesties kwamen aan bod.[88] Kunstgeschiedenis, tekenen en pianoles werden niet vergeten.

De vormende waarde van internationale reizen werd eveneens ingezien. Tussendoor fungeerde Wilhelmina als jong meisje al als gastvrouw van de Duitse keizerin. De beginselen waarop het constitutionele koningschap in Nederland sinds 1848 gebaseerd is, werden haar bijgebracht door hoogleraren van naam.[89] Haar docenten waren geleerden met verlichte opvattingen, veelal liberalen van gematigd protestantse signatuur.

Haar biografe Henriette de Beaufort veronderstelt niet ten onrechte dat er vooral grote invloed uitgegaan moet zijn van de gesprekken met haar moeder hierover, die op praktijkervaringen gebaseerd waren. Ook andere politieke zaken kwamen in deze gesprekken aan de orde. De prestatie van het Nederlands-Indische leger waarover haar moeder haar liet lezen, wekte een verlangen in haar op 'zelf iets, "wat dan ook", te presteren'.[90] Het grootse en meeslepende sprak haar aan. De jonge Wilhelmina liet zich sterk inspireren door de geschiedenis van haar

Huis. Dat wil niet zeggen dat ze alleen maar de mooie verhalen over de Oranjes voorgeschoteld kreeg of dat ze haar voorouders kritiekloos zou verheerlijken. De heer Gediking vertelde haar bijvoorbeeld dat de moordenaars van de gebroeders De Witt ten onrechte ongestraft gebleven waren. Wilhelmina zelf verweet prins Maurits zijn houding tegenover Johan van Oldenbarnevelt, en Willem V vond ze zo'n slapjanus dat ze veel later zelfs zijn baar bij zijn herbegrafenis in Delft nog niet wilde volgen. Ze verfoeide nu eenmaal aarzelingen en wankelmoedigheid. Wilhelmina heeft de nationalistisch getinte lessen van haar hoogleraar P.J. Blok, een leerling van Fruin, erg gewaardeerd, zij het dat ze zich later meer aangesproken voelde door een geschiedkundige interpretatie waarbij er verwezen wordt naar Gods plan met en Gods ingrijpen in de geschiedenis. Zoals het Nederlandse volk op grond van deze overtuiging uitverkoren was onder de volken, kon zij zich als vorstin door Hem geroepen weten in de traditie van de Oranjes.

Het isolement waarin haar opvoeding had plaatsgevonden – 'de kooi' waarvan ze zelf sprak – is natuurlijk niet bevorderlijk geweest voor haar communicatieve vaardigheden en haar vermogen tot zelfrelativering. Maar aan de vooravond van haar inhuldiging in 1898 was Wilhelmina klaar voor haar taak. Ze was de eerste Oranje die, naar de mogelijkheden van die tijd, een uitstekende opleiding tot vorst in een parlementaire monarchie had gekregen. De koningin-moeder had deze troef van het koningschap, dat wil zeggen de mogelijkheid van een degelijke voorbereiding op de functie van staatshoofd, binnen het korte tijdsbestek dat daarvoor in die situatie mogelijk was, optimaal benut.

## De vergissing van Kuyper: 'Oh, een lief kind...'

Het regentschap van koningin Emma was het prestige en de populariteit van het koningschap ten goede gekomen. Het Nederlandse volk leefde zeer feestelijk gestemd naar de plechtige gebeurtenis toe. Amsterdam, waar de inhuldiging op 6 september plaatsvond, was schitterend versierd en geïllumineerd. De Amsterdamse bevolking was zeer enthousiast en gaf Wilhelmina als geschenk de 'gouden koets', die ze overigens pas in 1901 ter gelegenheid van haar huwelijk met Hendrik van Mecklenburg-Schwerin in gebruik zou nemen.

Tijdens de inhuldiging in de Nieuwe Kerk las de jonge koningin haar korte speech met heldere stem voor. Ze is 'gelukkig en dankbaar' dat ze het Nederlandse volk

Verslaggevers maakten melding van de aangename verhouding tussen het publiek en de politie tijdens de kroningsfeesten in Amsterdam.

mag regeren. Ze spreekt van een volk 'klein in zielental, doch groot in deugden, krachtig door aard en karakter'. Het is de ethische, ja moralistische toonzetting, die zo specifiek voor het Nederlandse nationalisme is en op grond waarvan het Nederland van de jaren zestig en zeventig van de twintigste eeuw zich nog tot gidsland proclameerde. Ze spreekt ook van haar 'hoge roeping', een besef dat allesbepalend zal blijken te zijn voor haar taakopvatting. Wilhelmina zou zich met een enorm plichtsbesef inzetten, maar ook nog vanuit een vanzelfsprekend recht respect voor haar functie opeisen. L.J. Rogier merkte in dat verband op dat zij de laatste monarch was die niet twijfelde aan haar goddelijk recht om gediend te worden.[91] De gewoonlijk zo zakelijk ingestelde minister N.G. Pierson noteerde naar aanleiding van de plechtigheid:

*De inhuldiging was zo diep indrukwekkend, dat zij ons allen in de ziel greep. Glanspunt was de toespraak der Koningin, haar eedsaflegging bovenal. Zij sprak zoo, dat elkeen haar verstond en op ieder woord werd de ware klemtoon gelegd. Toen zij daar met opgeheven hand stond, werden allen als geëlectrificeerd.*

's Middags was er een koninklijke rijtoer. De toejuichingen waren stormachtig. Het sociaal-democratische partijbestuur concludeerde naar aanleiding van de inhuldiging op grond van niet al te veel historisch inzicht dat het Nederlandse volk de Oranjes niets te danken had en het adviseerde zijn aanhang voorts zich van welke uiting dan ook te onthouden. Fasseur verhaalt dat vooral in de Amsterdamse 'Jodenbuurt', een bolwerk van sociaal-democraten én Oranjegezinden, het enthousiasme groot was. De verhouding rood en Oranje was nog complex in die jaren.[92] De tocht door de 'Jodenbuurt' heeft Wilhelmina misschien nog doen terugdenken aan de lessen van de heer Gediking, die haar daarin verteld had hoe de joden vroeger op grond van valse beschuldigingen vervolgd waren en hoe ze tijdens de Tachtigjarige Oorlog de kant van Oranje gekozen hadden.

Niet alleen minister Pierson was erg van de jonge koningin gecharmeerd. Aanvankelijk was er soms ook sprake van onderschatting van de persoonlijkheid van de jonge Wilhelmina. Een voorbeeld hiervan is de anti-revolutionaire leider Abraham Kuyper. Deze beantwoordde na een bezoek aan de koningin de vraag van een vriend die luidde: 'En Bram, hoe was ze?' met: 'Oh, een lief kind.'[93] Dit was Kuypers taxatiefout, die hem nog zou opbreken.

Ze had in die jaren ongetwijfeld nog een lieftalligheid, die vaak samenvalt met de charme van de jeugd, maar Wilhelmina was niet zozeer een lieve vrouw. Ze was voor alles zeer zelfbewust. Wilhelmina wist dat ze stond in de lijn van de grote Oranjevorsten. Ze voelde zich de verpersoonlijking van Nederland als nationale eenheid en als zodanig zag ze zich als de natuurlijke leidster van het Nederlandse volk. Ze voelde zich, zoals ze zelf zei, 'het vleesgeworden Nederlandse volkskarakter'. Ze was zeker intelligent, maar zonder de nuanceringen en relativeringen die voortvloeien uit intellectuele reflectie. Ze was sterk geneigd tot simplificeren. De jonge koningin was perfectionistisch met oog voor het detail. Er was sprake van een zekere grilligheid. Ze kon innemend zijn en het stralende middelpunt en timide mensen op hun gemak stellen, maar ze kon ook autoritair zijn en afstandelijk en scherp uit de hoek komen. Ze gaf ook toe dat ze net als haar vader 'soms wat ruw in de mond was'. Naar aanleiding van de verwerping van de wet op de reorganisatie van het korps mariniers (weinig zaken gingen haar zo ter harte als de defensie) schreef ze over de minister van Marine Cohen Stuart aan haar moeder onder meer: '... maar natuurlijk als zoo'n onqualificeerbaar !!! ploertig uilskuiken eene wet verdedigt, komt er niets van terecht, en toch onkruit vergaat niet want hij zit er nog.'[94] Als ze besefte dat ze zich weer wat al te heftig had laten gaan, kon ze later berouwvol concluderen: 'Het was weer eens geen Bergrede.'

Prins Hendrik, een hartelijke man met weinig diepgang, die meer van de Veluwe en de jacht dan van de Haagse politieke wereld hield, kon zich naast zo'n echtgenote niet staande houden. Hij zocht later dan ook veelvuldig zijn troost in de armen van andere dames. Doordat hij ze vorstelijk fêteerde en voor de alimentatie van enkele buitenechtelijke nakomelingen te zorgen had, kregen zijn financiële zorgen een chronisch karakter. De gewezen Haagse hoofdcommissaris F. van 't Sant zou jarenlang als vertrouweling van de koningin deze gevoelige zaken regelen.

De grondwet respecteerde Wilhelmina, maar de beperkingen, die er voor haar uit voortvloeien moet iemand met haar karakterstructuur meer dan hinderlijk gevonden hebben.[95] Soms leverde haar eigen interpretatie van haar rol als staatshoofd spanningen met de ministers op. Dit blijkt bijvoorbeeld uit haar verhouding met Kuyper. Ze mocht hem allerminst. Onder zijn leiding hadden de gereformeerden zich afgescheiden van de Hervormde Kerk, die haar dierbaar was.

Met zijn pleidooi voor de antithese (het benadrukken van de tegenstelling tussen christelijke en niet-christelijke partijen) moet ze hem een scherpslijper gevonden hebben. Daar komt nog bij dat de nogal met zichzelf ingenomen Kuyper niet bepaald fijnzinnig in de omgang was. Het feit dat hij meermalen publiekelijk blijk gegeven had van zijn scepsis over de voortzetting van de Oranjedynastie via de vrouwelijke lijn, werd hem natuurlijk ook niet in dank afgenomen. Toen ze tijdens de kabinetsformatie in 1901 echt niet om hem heen kon, kreeg hij een wensenlijstje van haar mee; de Atjeh-politiek van Van Heutz moest worden voortgezet en de legerhervormingen moesten loyaal worden uitgevoerd. Maar ondanks dat hij dit accepteerde, was ze niet gelukkig met zijn beleid. Met behulp van haar vertrouweling jhr. mr. De Savornin Lohman, de christelijk-historische leider, wist ze later een tweede kabinet Kuyper te voorkomen. Koningin Wilhelmina stond pal voor het landsbelang, maar dat hiervan meer interpretaties mogelijk zouden kunnen zijn, was moeilijk voor haar te aanvaarden'. Haar pleidooien voor een krachtige defensie kwamen daardoor soms op gespannen voet te staan met haar bovenpartijdige positie. Tijdens de Eerste Wereldoorlog trachtte ze zoveel mogelijk haar solidariteit met het volk te tonen. Zo had ze het initiatief genomen tot de instelling van het Koninklijk Nationaal Steuncomité om de economische misère te helpen verzachten. Aan het hof koos ze voor een sobere levensstijl. Een voorbeeld hiervan waren de kerstdagen van 1916 die ze zonder kolen en zonder verlichting op Het Loo doorbracht. Ze was herhaaldelijk bij de gemobiliseerde troepen en hield dan bemoedigende speeches, waarbij vaderlandsliefde, opoffering en plichtsbesef de terugkerende thema's waren. Aan het eind van de oorlog namen de spanningen met de ministers toch weer toe. De koningin wilde bijvoorbeeld niet akkoord gaan met het ontslag van de opperbevelhebber generaal C.J. Snijders. Toen de ministers daarop met ontslag dreigden was haar reactie koeltjes, 'dat men reizende heren niet moest ophouden'.[96] Enkele ministers stelden haar zo teleur dat ze het kabinet Cort van der Linden uiteindelijk liever kwijt dan rijk was. Vertrouwelingen wisten haar van onberaden stappen te weerhouden. Ze balanceerde toen, en ook later tijdens de Tweede Wereldoorlog, soms 'op de rand van het constitutionele en het inconstitutionele'.[97] Hierin was ze overigens niet zo uitzonderlijk. Ze was hierin meer een kind van haar tijd, dan nu beseft wordt. Haar tijdgenoten-politici waren immers evenmin vrij van autoritaire trekjes. Het vertrouwen in de parlementaire

Aanhankelijkheidsbetoging op het Malieveld na de 'vergissing van Troelstra', november 1918.

democratie en haar spelregels was nog allerminst vanzelfsprekend.[97a] Het mag duidelijk zijn dat koningin Wilhelmina zich Bagehots adagium dat de taak van het constitutionele staatshoofd zich dient te beperken tot advisering, waarschuwen en aanmoedigen, nog niet direct eigen had gemaakt.

## Wilhelmina, de incarnatie van de Oranjemythe

Het jaar 1918 bracht niet alleen vrede, het was ook het jaar waarin in Nederland het algemeen kiesrecht ingevoerd werd. Pas sindsdien was het parlement volstrekt democratisch gelegitimeerd. Verzet tegen parlementaire beslissingen zou verzet tegen de volkswil inhouden. Hier diende het staatshoofd meer dan ooit rekening mee te houden, maar het zou ook consequenties hebben voor degenen die via een omwenteling een einde aan de bestaande orde zouden willen maken. Op het 'volk achter de kiezers' kon niemand zich meer beroepen. Naar aanleiding van Troelstra's mislukte revolutiepoging in november 1918 stelde zijn sociaal-democratische partijgenoot W.H. Vliegen dan ook: 'Een revolutie is in een democratisch geregeerd land een dwaasheid'.[98] Hoewel deze 'novembergebeurtenissen' en de reacties erop de sociaal-democraten in emotioneel opzicht geruime tijd buiten de nationale gemeenschap plaatsten, kwam daar in de jaren dertig verandering in. De sociaal-democraten gingen beseffen dat ze deel uitmaakten van een maatschappij waaraan ze via democratische wegen zelf mede vorm konden geven. Er was sprake van een 'ingroeien in de Nederlandse samenleving'. De sociaal-democraat dr. H.B. Wiardi Beckman beklemtoonde in een rede voor de AJC de nationale eenheid op grond van een 'historische lotsgemeenschap'.[99] Dit hield ook in dat men zich openstelde voor de symbolen die deze samenleving belichaamden, inclusief het koningschap van de Oranjes. Dit proces werd versterkt door de dreiging die uitging van het opkomend nationaal-socialisme. De sociaal-democraten gingen zich geleidelijk aan anders opstellen bij gebeurtenissen rond het Oranjehuis. Toen dr. Henri Polak hartelijke woorden wijdde aan het adres van koningin Emma naar aanleiding van haar overlijden in 1934, zei hij verder over de houding van de sociaal-democraten: '... Zij eerbiedigen niet alleen de koningin als wettig hoofd van de staat, doch erkennen tevens, dat, indien het gekroonde hoofd zijn plaats vervult en zijn taak opvat zoals wijlen koningin Emma deed tijdens haar regentschap en zoals, mede dankzij haar voorgaan, koningin Wilhelmina dit sedert haar troonsbestijging heeft gedaan er weinig reden bestaat om te verlangen naar een verandering van bestuursvorm.'[100] Ook bij andere gelegenheden uit die jaren, zoals het huwelijk van prinses Juliana met prins Benhard, het veertigjarig regeringsjubileum van koningin Wilhelmina zelf en de geboorte van prinses Beatrix, waren aanleiding voor de sociaal-democraten om hun sympathie met het Huis van Oranje te tonen.

De periode tussen beide wereldoorlogen werd in hoge mate bepaald door de werkloosheid ten gevolge van de economische crisis en door de opkomst van fascisme en nationaal-socialisme. Het parlementaire klimaat uit die jaren, gekenmerkt door de hokjesgeest die voortvloeide uit de verzuiling, stond haar tegen. Wat de economische crisis aangaat, spreekt Wilhelmina in haar autobiografie 'Eenzaam maar niet alleen' van het gebrek aan 'imaginatie en durf, aan doortastendheid en voortvarendheid' bij de verantwoordelijken om tot een oplossing te komen.[101] Wat het nazidom betreft, heeft Wilhelmina vanaf het begin de ware aard ervan doorzien en aan de perfiditeit van Hitler heeft ze nooit een moment getwijfeld. Ze heeft daarom bij herhaling gehamerd op de noodzaak van een sterke defensie. Op de inval van de Duitsers was ze mentaal voorbereid. Ze voorzag ook dat haar vlucht naar Londen door velen aanvankelijk niet begrepen zou worden, maar ze was ervan overtuigd dat haar geen andere mogelijkheid restte. De feiten omtrent de Londense ballingschap van de Nederlandse regering mogen als bekend verondersteld worden. Het kabinet, waarin voor het eerst ook twee sociaal-democraten zitting hadden, stond onder leiding van de defaitistische De Geer, die onder invloed van de koningin al spoedig vervangen zou worden door de strijdbare Gerbrandy. Bekend zijn ook de spanningen, die zich in de loop van de oorlog voordeden binnen de ministerraad en tussen de ministerraad en de koningin. Ook toen kon het stemvolume van de koningin bij verschil van mening met bijvoorbeeld Gerbrandy, dermate krachtig zijn dat de bewakende marechaussees bezoekers enigszins gegeneerd op een afstand moesten houden. Hoewel koningin Wilhelmina als onschendbaar staatshoofd na de oorlog niet gehoord is door de parlementaire enquêtecommissie die een onderzoek deed naar het regeringsbeleid in Londen, is er toch redelijk veel bekend over de rol van de koningin in de oorlog dankzij onder meer L. de Jong en Cees Fasseur.[102] Uit het werk van De Jong komt het beeld naar voren van een imposante vrouw, die tijdens de oorlog intuïtief wist welke koers ze had te varen en welke toon ze

Koningin Wilhelmina in Londen. Op de achtergrond prins Bernhard en premier P.S. Gerbrandy.

moest aanslaan, of het nu haar toespraken via Radio Oranje betrof of gesprekken met Engelandvaarders. Een simpel ongedwongen praatje ging haar nog het moeilijkst af. Door de nieuwe bronnen die Fasseur kon aanboren, komt Wilhelmina's persoonlijkheid nog meer uit de verf.

De sociaal-democraat J.A.W. Burger, die in de laatste oorlogsjaren minister was in het kabinet Gerbrandy, zei van Wilhelmina dat het een 'uitermate respectabele dame' betrof, 'die zich op onwaarschijnlijk intensieve wijze verantwoordelijk voelde voor het wel en wee van Nederland en die zich met grenzeloze toewijding voor de belangen van haar land heeft ingezet'. De vraag of de koningin vanwege die belangen al of niet binnen de perken van de constitutie gebleven zou zijn, vond hij in tijd van oorlog ondergeschikt aan de vraag of ze het juiste standpunt had ingenomen. Hiervan zegt hij: 'Zij kende geen aarzeling ten aanzien van de hoofdlijn van beleid.' En verder over Gerbrandy die '... toch slechts kon wezen wat hij was vanwege de Koningin'. Waar het om gaat is: 'Wie drukte door, wie liet op dat moment geen twijfel toe, wie herkende op gezaghebbende wijze het beslissende moment... dáár ligt het moment waarvoor Nederland koningin Wilhelmina niet dankbaar genoeg kan zijn.' Burger stelt zich ten slotte nog de vraag of een president de functie had kunnen vervullen die deze koningin vervuld had. Hij meent van niet omdat deze niet zoals 'zij gedragen werd door de kracht van de historie'.[103]

Het was de historie uiteraard zoals deze samengebald was in en gekleurd door de Oranjemythe. Zeer veelzeggend is in dit verband de radioboodschap na haar aankomst in Londen, waarin ze in een ongewone openhartigheid inzicht geeft in eigen taakopvatting als vorstin uit het Huis van Oranje:

*Het is omdat de stem van Nederland niet moet, niet mag worden gesmoord in deze dagen van verschrikkelijke beproeving van Mijn volk, dat Ik het ernstige besluit heb genomen het symbool van Mijn volk zoals het belichaamd is in Mijn Persoon en Mijn Regering, over te brengen naar een plaats, waar het gezag kan uitoefenen als een levende en sprekende kracht.*

## Aan het slot:
*Teneinde trouw te blijven aan de leuze van het Huis van Oranje, van Nederland, van dat ontzaglijke deel van de wereld, dat strijdt voor hetgeen oneindig meer waarde heeft dan het leven: Je maintiendrai –Ik zal handhaven.*[104]

De compromisloosheid van haar karakter en deze eigenzinnige veronderstelling een historische roeping te hebben, verklaren haar doorzettingsvermogen, de bezieling die van haar uitging en het gegeven dat zij voor iedereen het levend symbool werd van de Nederlandse staatseenheid. 'Zij kreeg de kans groot te zijn in grote tijden en zij wérd het omdat zij zich vereenzelvigde met de goede identiteit van het land,' aldus prof. dr. C.L. Patijn. [105] Tussen de vorstin en haar volk was sinds de oorlog sprake van een wederzijdse identificatie. Zoals zij de Oranjemythe belichaamde, had omgekeerd het Nederlandse volk voor haar ook een mythische duiding. Dit zou de verklaring kunnen zijn voor het feit dat zij ondanks haar door het calvinisme gekleurde sceptische kijk op de mens, in de oorlog droomde van een 'innerlijke vernieuwing' van de Nederlanders, die na de oorlog nieuwe politieke verhoudingen mogelijk zou moeten maken. Zij dacht aan een ingrijpende wijziging van de grondwet op grond waarvan ze zelf als staatshoofd een politiek meer dominante rol zou kunnen spelen. Een blijk overigens van bijzonder weinig politiek realiteitsbesef. Bij terugkomst zouden haar daarom teleurstellingen wachten. Ondanks de grote waardering voor Wilhelmina, werd uitbreiding van de koninklijke macht ondubbelzinnig afgewezen. Maar de lieden die in 1947 via een staatsgreep de macht in handen van de koningin wilden leggen, vonden bij haar geen enkel gehoor.

Toen Wilhelmina in 1948 aftrad, huldigde ze een visie op het koningschap, die waarschijnlijk toch meer paste bij het eind van de negentiende eeuw dan bij de tweede helft van de twintigste eeuw. Maar dankzij de rotsvaste overtui-ging waarop deze visie gebaseerd was, had ze haar taak in moeilijke tijden juist zo grandioos kunnen volbrengen en daarom stond ze zo hoog in aanzien bij haar landgenoten. Het Huis van Oranje was in de naoorlogse periode ongekend populair. Waarschijnlijk had de Oranjemythe toen wat al te veel impact voor normale tijden en zou enige relativering ervan uiteindelijk meer passen bij een verdere ontwikkeling van een democratisch levensbesef.

De Tweede Wereldoorlog was voor velen het uur van beproeving, voor Wilhelmina is het ook haar 'finest hour' geweest. De geschiedenis gaf haar namelijk de kans een rol te spelen volgens de traditie van haar Huis zoals ze deze zelf zag. Op grond van de Oranjemythe was ze een vorstin met een boodschap. Door haar houding tijdens de oorlog werd ze zélf die boodschap. Er was sprake van zo'n intense identificatie met de Oranjemythe dat ze zelf kon uitgroeien tot een mythische

Wilhelmina door Charlotte van Pallandt, monument in Rotterdam.

persoonlijkheid. In 1962 overleed prinses Wilhelmina. Net als haar man werd ze in het wit begraven. Haar inspirerende rol tijdens de oorlogsjaren werd door alle media breed uitgemeten. Ook de communisten prezen haar als de 'grote anti-fascist van Het Loo'.

Meer dan wie ook moet Wilhelmina beseft hebben dat een mythe zijn kracht niet ontleent aan objectief historisch onderzoek. Er zijn er namelijk maar weinigen die zo rigoureus hebben huisgehouden in correspondentie en archiefmateriaal van de Oranjes als zij. Het indrukwekkende beeld in Rotterdam dat Charlotte van Pallandt van haar maakte, gestileerd, als mythische figuur zonder herkenbare gelaatstrekken, moet haar daarom wel aangesproken hebben. Het feit dat Fasseur toestemming kreeg uit haar persoonlijke correspondentie te publiceren, zou haar daarentegen een gruwel geweest zijn.

# 7 Juliana, een koningin die geen kwaad kon doen

## Eindelijk een troonopvolgster

Koningin Wilhelmina was de laatste telg uit het geslacht Oranje-Nassau. Met spanning werd er uitgekeken naar de geboorte van een troonopvolger, maar die liet lang op zich wachten. Het huwelijk van Wilhelmina met prins Hendrik van Mecklenburg-Schwerin bleef zeven jaar kinderloos. Het Nederlandse volk dat van oudsher nu eenmaal meer orangistisch dan monarchistisch ingesteld is, ging zich steeds meer zorgen maken dat de dynastie zou uitsterven en dat een buitenlandse prins ten slotte de troon zou gaan bestijgen. Menigeen gaf er de voorkeur aan dat bij een uitsterven van het nationale koningshuis, de republiek ingevoerd zou worden. Groot was de vreugde toen in 1909 prinses Juliana geboren werd. Maar de zorg die men gevoeld had dat het koningshuis zou uitsterven, bleef niet zonder gevolgen. Ter gelegenheid van de grondwetswijziging van 1922 werd er meer specifiek stilgestaan bij de betekenis van het koningschap. Toen werd bepaald dat alleen nakomelingen van koningin Wilhelmina troongerechtigd zouden zijn. Dit betekende eigenlijk een formele bevestiging van het verschijnsel dat Nederlanders eerder orangistisch dan monarchistisch genoemd kunnen worden.

Prinses Juliana en prins Bernhard in New York in 1942, wachtend op hun vliegtuig op weg naar president Roosevelt.

De godsdienstige opvoeding nam Wilhelmina, net als indertijd haar moeder, zelf ter hand. Het is daarom niet zo verbazingwekkend dat de dochter een zelfde mystiek-religieuze instelling als haar moeder zou ontwikkelen. Op haar achttiende deed Juliana geloofsbelijdenis in de Nederlandse-Hervormde Kerk. Wat de inhoudelijke voorbereiding op het koningschap aangaat, trok Wilhelmina eveneens de lijn door van koningin Emma. Maar wat de onderwijskundige aanpak betreft, stak de koningin haar licht op bij de bekende pedagoog Jan Ligthart, de man van de vermaarde schoolboekjes over 'Ot en Sien'.[106] Juliana zou les krijgen in een klasje dat gevormd werd door daartoe speciaal geselecteerde kinderen. Het onderwijs moest de leerlingen actief bij de les betrekken. Lichaamsbeweging, waaronder veel wandelen, ook schaatsen en later skiën, nam een belangrijke plaats in. Als jong meisje bleek ze al veel van toneelspelen te houden. Ze kreeg de kans haar communicatieve vaardigheden meer te ontwikkelen dan haar moeder doordat ze enige jaren klassikaal les kreeg en doordat ze ook in tegenstelling tot haar moeder enkele jaren de universiteit mocht bezoeken. Zoals de meeste Oranjes studeerde ze in Leiden. Ze woonde in die tijd met enkele medestudentes in een villa in Katwijk en werd toen lid van de Vereniging voor Vrouwelijke Studenten in Leiden (VVSL). Zo kreeg ze wat meer kansen om met leeftijdgenoten in contact te komen. Voor haar studiegenoten was ze Jula. In die tijd sloot ze vriendschappen voor het leven. Juliana had een intense belangstelling voor haar omgeving en ze vond het heerlijk 'gewoon met de anderen mee te kunnen doen'. Gedurende enkele jaren volgde ze niet alleen colleges op verschillende terreinen, maar er werden ook lezingen voor haar georganiseerd van befaamde geleerden zoals Van Vollenhoven en Huizinga. Ze legde enkele tentamens af, maar deed geen examen omdat ze niet over de daartoe geëigende diploma's beschikte. De conclusie is gerechtvaardigd dat Juliana, na haar moeder, de tweede Oranje was die terdege opgeleid was voor haar toekomstige rol van staatshoofd in een parlementaire democratie. Maar de opvoeding aan het stijve Nederlandse hof, de verwijdering tussen haar ouders en de invloed van haar dominante moeder zouden ook hun sporen nalaten. Juliana was een verlegen, onzekere jonge vrouw voor wie er een wereld openging toen ze op 7 januari 1937 trouwde met de vlotte, mondaine prins Berhard zur Lippe-Biesterfeldt. Tijdens haar verblijf in Canada in de oorlog speelde prinses Juliana in tegenstelling tot haar moeder en prins Bernhard, die zijn schoonmoeder ter zijde stond, slechts een rol op de achtergrond. Het moet haar in die tijd niet onaangenaam geweest zijn een poosje door het leven te gaan als een min of meer gewone huisvrouw. Overigens hield haar moeder haar door middel van een intensieve correspondentie uitgebreid op de hoogte van alle politieke ontwikkelingen.

## Meer mens dan majesteit

In haar toespraak bij haar inhuldiging in 1948 begon koningin Juliana als volgt: 'Sedert eergisteren ben ik geroepen tot een taak die zó zwaar is dat niemand die zich daarin ook maar een ogenblik heeft ingedacht, haar zou begeren. Maar ook zó mooi, dat ik alleen maar zeggen kan: wie ben ik dat ik dit doen mag...' Hier stond geen vanzelfsprekende majesteit, wel iemand die zich nog geroepen wist, maar dan allemaal toch in wat menselijker proporties. Als Oranje kreeg ook koningin Juliana van het Nederlandse volk alle krediet van de wereld. Een nieuwe koningin, wat minder majesteit, wat meer een gewoon mens; het werd niet met zoveel woorden uitgesproken, maar men was er eigenlijk wel aan toe. Het gaf een zeker gevoel van ontspanning. Men waardeerde haar weinig conventionele houding, haar sociale belangstelling, haar eenvoud en haar hartelijkheid; kortom de sterk persoonlijk getinte invulling van het koningschap. Een koningin op de fiets, die met kerstmis haar personeel chocolademelk inschonk en haar bezoekers zelf een kopje thee met een koekje offreerde, dat gaf blijk van de vertrouwde huiselijkheid die de gemiddelde Nederlander, zeker in de jaren vijftig, wel wist te waarderen. Door het jaarlijkse defilé op Koninginnedag werd paleis Soestdijk, niet alleen in geografisch opzicht maar ook emotioneel, het centrale huis van Nederland. Hier was het populairste huisgezin van het land gevestigd en dat moest uiteraard wel aan het ideaalbeeld voldoen. Ook deze Oranjevorstin meende een boodschap te hebben en Nederland was nog 'domineesland'. Haar beroep op de mensen van goede wil, haar streven naar harmonie, haar ethische, ja moralistische instelling lag de gemiddelde Nederlander wel. Kritische geesten vonden haar toespraken soms juist te zweverig. Haar kribbigheid tegen opdringerige fotografen kon omstanders wel eens verbazen en insiders wisten dat de koningin opeens behoorlijk koppig kon zijn. Maar de gevoelens van sympathie waren alom overheersend. Het koningschap van Juliana werd door een breed publiek gedragen. De invulling ervan paste zowel bij de persoonlijkheid van het

Jaarlijks defilé op Soestdijk.

staatshoofd als bij het politieke en maatschappelijke klimaat in het Nederland van na de oorlog. De koningin werkte niet alleen nauw samen met haar sociaaldemocratische minister-president, maar zijn portret kreeg ook een plaats op haar bureau. Onder de linkse kiezers ontwikkelde zich een 'Drees-orangisme' dat erop neerkwam dat de overgrote meerderheid, vooral op grond van sympathie voor het staatshoofd met haar democratische en sociale mentaliteit, zich hier en nu tevreden toonde met het koningschap. Toch zou in een latere fase van haar regering haar image van eenvoud haar komen te staan op een tv-persiflage van een huisvrouw die spruitjes zat schoon te maken.

Een van de nieuwigheden die koningin Juliana had ingevoerd, was haar ontmoeting met parlementsleden. Regelmatig werd een ander groepje door haar op paleis Huis Ten Bosch ontvangen, waar zij de relatieve eenvoud aan het hof van koningin Juliana dan zelf bevestigd zagen. Voor de parlementsleden erheen gingen, informeerden ze meestal bij de collega's die voorafgaand aan hun bezoek op Huis Ten Bosch geweest waren hoe het vorige gesprek verlopen was. In de zomer van 1976, toen iedereen in afwachting was van het rapport over de Lockheed-affaire, bleek dat de hartelijke instelling van de koningin ook gevoelens van bescherming bij de parlementsleden opriep. Tijdens zo'n bezoek had het kamerlid Maarten Schakel als senior op zich genomen het gesprek een beetje te sturen. Vooraf had hij erop gewezen dat men van het aangewezen gespreksthema, het milieu, gauw terecht zou kunnen komen bij geluidsoverlast en ongemerkt zou het gezelschap het dan misschien over vliegtuigen hebben. Hij vond dat zoiets niet van tact zou getuigen tegenover de koningin en daarom wilde hij dat voorkomen. Een beetje gniffelend vertelde een van de collega's die hem vergezeld had later dat de koningin telkens maar weer over de geluidsoverlast begonnen was die door vliegtuigen veroorzaakt werd en dat collega Schakel dan weer overstapte op de kikkers die in zijn tuin zo'n lawaai maakten. Op het laatst zou de koningin enigszins kribbig gevraagd hebben waarom de heer Schakel steeds weer die kikkers te berde bracht, waarvan men blij mocht zijn dat die er nog waren, terwijl het geluid van vliegtuigen bovendien toch heel wat hinderlijker was. Tijdens een ander bezoek op een prachtige dag tijdens dezelfde zomer werd het gezelschap in de paleistuin ontvangen. Het gesprek verliep vriendelijk, maar enigszins stijfjes. De koningin leek wat afwezig, maar dat was niet zo verbazingwekkend in die dagen rond de Lockheed-affaire. Het gesprek ging vooral over ruimtelijke ordening en de planning van nieuwe stadswijken. De koningin wilde kennelijk meningen die men haar voorgeschoteld had wel eens uitproberen. Ze vertelde dat de ontwerpers van de Bijlmer haar gezegd hadden dat er bij de bouw van deze nieuwe stadswijk zoveel aandacht besteed zou zijn aan het sociale aspect. Ed van Thijn, die zelf in de Bijlmer gewoond had, stelde hier zijn eigen ervaringen tegenover. Hij vertelde van de vervreemdende ervaring die hij en de medebewoners van zijn flatgebouw beleefden toen ze over het balkon hangend zich afvroegen waar de brandweer heen zou gaan, die ze aan zagen komen scheuren, om vervolgens te ontdekken dat de brand enkele etages boven hen in hetzelfde gebouw uitgebroken was. De koningin was overtuigd en ze vroeg zich verder af of sociale controle wel mogelijk was in buurten waar geen bebouwing op ooghoogte is.

Ook kon het voorkomen dat een bezoeker ontvangen werd met de mededeling dat de koningin zich liet verontschuldigen omdat ze vast zat in het verkeer. Geen staatshoofd dus in een auto met zwaailichten en loeiende sirenes, maar gewoon in de file. Bij zo'n persoonlijk bezoek werd de thee wél door haar zelf ingeschonken en werden de daarbij behorende koekjes gepresenteerd. Het uitlaten van haar hondje, een basenji, door een adjudant was aanleiding voor een kort gesprekje over honden, daarna stapte ze over op de politieke situatie. [107]

Al met al maakte ze meer de indruk van een lieve, belangstellende, wat chique dame uit het Gooi, dan dat ze deed denken aan haar moeder, Wilhelmina, de krachtdadige majesteit van 'Je maintiendrai'.

## Affaires met een persoonlijke noot

Voorzover bekend, is koningin Juliana, in tegenstelling tot haar moeder, nooit partij geweest in de discussie over de wenselijkheid van uitbreiding van de bevoegdheden van het staatshoofd. Ze was in staat de betrekkelijkheid van haar positie in te zien, maar ze nam haar taak wel serieus en wilde ook niet louter een marionet zijn. Voor een goed begrip van de situatie in de jaren veertig en vijftig dienen we te beseffen dat koningin Juliana aantrad in een tijd dat het democratisch levensbesef nog niet door de jaren zestig was gevitaliseerd. Ook leefde aan het begin van haar regering nog sterk de herinnering aan haar daadkrachtige moeder, om wie niemand heen had gekund. Verder ging er van de letterlijke tekst van de toenmalige grondwet nog steeds de suggestie uit dat de koning meer macht zou hebben dan in werkelijkheid waar was. 'Er staat niet wat er staat' schreef H.A. van Wijnen in dit verband.[108] De PvdA'er dr. A. Vondeling stelde in de jaren zestig voor de grondwet wat dat betreft op te schonen.[109] Pas sinds de grondwetswijziging van 1983 sluit de tekst redelijk aan bij de gegroeide constitutionele werkelijkheid, die neerkwam op een sterk gedepolitiseerd koningschap. Deze tendens is, behalve door een voortgaand proces van democratisering, bevorderd doordat er steeds meer betekenis gehecht werd aan regeerakkoorden en doordat er sprake was van een geleidelijke opwaardering van de positie van de premier. Dit laatste onder meer ten gevolge van zijn rol op internationale conferenties en als woordvoerder van het kabinet tegenover de media.

De persoonlijke invulling van Juliana's koningschap vormde zowel de kracht als de kwetsbaarheid ervan. Enerzijds maakte dit de koningin erg populair, anderzijds vindt de turbulentie die tijdens haar regering optrad hier gedeeltelijk zijn oorsprong. In 1951 en 1952 speelde de kwestie Lages. Het kabinet was voor de doodstraf. De rechtlijnige Wilhelmina had nooit moeite met de doodstraf voor oorlogsmisdadigers gehad, maar de zachtaardige Juliana had er moeite mee. Voor haar standpunt dat Lages eigenlijk gratie verleend behoorde te worden, ging Juliana te rade bij de directeur van haar kabinet mr. Marie-Anne Tellegen. Aan de opvatting van deze juriste 'die een leidende functie had gehad in de illegaliteit' en die een executie in strijd achtte met de gerechtigheid, hechtte ze namelijk grote waarde.[109a] Koningin en kabinet kwamen tegenover elkaar te staan. Het vraagstuk liet zich van verschillende kanten benaderen. Enerzijds laat zich de stelling verdedigen dat in ons systeem de politiek zich in principe niet met de rechtspraak inlaat, dat het recht van gratie een oud koninklijk prerogatief is en dat dus op dit terrein de eindbeslissing aan het staatshoofd gelaten zou kunnen worden. Anderzijds is het staatshoofd nu eenmaal lid van de regering en geldt te allen tijde de ministeriële verantwoordelijkheid. Terwille van de eenheid van de Kroon en volgens het beginsel van de ministeriële verantwoordelijkheid zou dan ook wat de gratiëring aangaat de uiteindelijke verantwoordelijkheid bij het kabinet behoren te liggen. De laatste opvatting was hier inmiddels de gangbare geworden. Het probleem werd voor het kabinet extra gecompliceerd omdat het voor de koningin om een gewetenszaak zou gaan en omdat koningin

Juliana van haar generatie de enige troongerechtigde was. Zolang haar dochters nog minderjarig waren, was het koningshuis in die jaren eigenlijk te klein om een constitutioneel conflict te beslechten zonder dat men geconfronteerd zou worden met te verregaande staatsrechtelijke consequenties. Een troonsafstand van Juliana zou in die omstandigheden voor het kabinet geen optie geweest zijn. Het kabinet accepteerde uiteindelijk dan ook de verantwoordelijkheid voor de gratiëring van Lages.

Zeer ingrijpend en zeer persoonlijk van aard en niet zonder constitutionele complicaties was de Hofmans-affaire. De zorg om de ernstige aangeboren oog-afwijking waaraan de jongste prinses, Christina, bleek te lijden, vormt er de oorsprong van. Alle medische steun werd te baat genomen, maar ook operatief ingrijpen mocht niet helpen. Via prins Berhard kwam mevrouw Greet Hofmans, een gebedsgenezeres, ten tonele. Zij bracht evenmin een oplossing, maar de koningin stelde het contact met haar bijzonder op prijs. Haar religieus-pacifisti-sche opvattingen sloten goed aan bij de ethisch-irenische gezindheid van konin-gin Juliana. Tijdens het staatsbezoek aan de Verenigde Staten in 1952 hield de koningin speeches die nogal filosofisch van aard waren en een oproep tot wereld-vrede inhielden. Dit was in de tijd van de Koude Oorlog toen het McCartthyisme de VS in zijn greep had. Het was dus niet bepaald een toonzetting waarvan ver-ondersteld zou mogen worden dat de Amerikaanse politiek er gevoelig voor zou zijn. De minister van Buitenlandse Zaken mr. D.U. Stikker en ook prins Bernhard als overtuigd voorstander van de NAVO, waren allerminst gelukkig met haar redevoeringen, maar de koningin trok zich er niet veel van aan. Uitgezonderd Het Parool waren de Nederlandse media positief over de speeches. Het Parool had het over 'min of meer wijsgerige passages waarvan een nuchter mens moei-lijk de zin kan bevatten' en verder vroeg het zich af of 'onze ministerraad wel-licht eerst enige dagen in contemplatie verzonken is geweest, alvorens men tot vaststelling van de teksten kon overgaan.'[110]

De tegenstellingen tussen de koningin en de prins leidden tot een huwelijks-crisis (er zou zelfs sprake van echtscheidingsplannen geweest zijn) en tot ernstige verdeeldheid aan het hof. In 1956 bleef dit niet langer geheim, toen er een artikel verscheen in het Duitse weekblad Der Spiegel.[111] Daarna was voor de internatio-nale pers het hek van de dam. Greet Hofmans werd als een tweede Raspoetin afgeschilderd. De onrust die hieruit voortvloeide werd, zoals te doen gebruikelijk in ons land, te lijf gegaan met de benoeming van een commissie van wijze mannen. Deze bestond uit prof. dr. L.J.M. Beel, katholiek politicus en vertrouweling van de koningin; jhr. mr. A.W.L. Tjarda van Starkenborgh Stachouwer, de laatste gouverneur-generaal van Nederlands-Indië; en prof. mr. P.S. Gerbrandy, premier uit de Londense periode. De uitvoering van hun adviezen vroeg veel diplomatiek talent van premier Drees. Uiteindelijk werd het contact van de koningin met Greet Hofmans verbroken, er vonden personele mutaties aan het hof plaats en de koningin moest gewezen worden op de risico's als ze tijdens haar publieke optreden haar persoonlijke, religieuze opvattingen te berde zou blijven brengen. Staatsrechtelijk bleef deze affaire niet zonder gevolgen. Mede namens zijn collega's van de andere grote partijen zei de leider van de VVD-fractie op 24 oktober 1956 met zoveel woorden dat de 'kwestie Soestdijk' niet gezien kon worden als een zaak die alleen de draagster der Kroon persoonlijk zou raken. Hij vertrouwde erop dat het kabinet zich zijn verantwoordelijkheid ten volle bewust zou zijn en dat, 'met name ten aanzien van de inrichting van het Huis der Koningin, de maatregelen zullen worden genomen, die in het belang der monarchie noodzakelijk blijken'.[112] Uit de reactie van minister-president Drees hierop blijkt dat het kabinet er sindsdien van uitgaat dat er ook wat de inrichting van het Koninklijk Huis(houden) betreft uiteindelijk sprake is van ministeriële verantwoordelijkheid.

De Nederlandse media hielden zich naar onze huidige opvattingen in democratisch opzicht onverantwoord afzijdig. Veel van het gebeuren ging daardoor buiten het Nederlandse volk om. Zij zagen een altijd even hartelijke en eenvoudig aandoende koningin. Bij de ramp in 1953 was de koninklijke familie een en al medeleven geweest. Het beeld van koningin Juliana tegen een dijk opklauterend met kaplaarzen aan en een hoofddoekje om, stond de mensen op het netvlies gegrift. In 1956 tijdens de Suezcrisis ging de koningin per fiets naar de kerk. Het gaf blijk van een mentaliteit die bij de mensen in het land aansloeg. In 1962 werd het vijfentwintigjarige huwelijksjubileum van het koninklijk echtpaar groots gevierd. Nu de dochters in de huwbare leeftijd kwamen, lagen er meer feesten in het verschiet. Twee huwelijken zouden met veel politiek en publicitair spektakel gepaard gaan. In januari 1964 verscheen er een wat vage foto in de kranten waarop prinses Irene te zien was in gebed verzonken in de katholieke San Jeronimo del Real in Madrid.[113] De bevestiging van haar overstap naar de rooms-katholieke kerk veroorzaakte grote opwinding in het land. Dit werd er niet minder op toen bekend werd dat kardinaal Alfrink haar doop nog eens had overgedaan, alsof de protestantse doop niet geldig zou zijn. Veel protestanten hadden al moeite genoeg met deze 'afvalligheid' van een Oranje-prinses. Voor de gemiddelde protestant waren Oranje en het protestantisme immers bijna identieke grootheden. Het christelijk-historische kamerlid freule Wttewaal van Stoetwegen, overigens zeer bevriend met de koningin, vroeg zich vertwijfeld af wat het tekort was van de eigen kerk dat ze tot deze stap gekomen was. De cabaretier Wim Kan wist het antwoord hierop meteen: Dat tekort betrof natuurlijk een man. Hij kreeg gelijk. De zaak werd er hierdoor niet beter op. De aspirant-echtgenoot met wie Irene op de proppen kwam, was prins Karel Hugo van Bourbon-Parma, die aanspraken maakte op de Spaanse troon op grond van wat obscure, reactionaire pretenties van de carlisten.[114] Het kabinet Marijnen besloot terecht om voor dit huwelijk geen goedkeuring aan het parlement te vragen, uiteraard niet omdat de prinses katholiek geworden was, maar omdat de carlistische aanspraken op de Spaanse troon politieke complicaties zouden kunnen veroorzaken. Voorafgaand aan en rond het huwelijk hadden zich aller-lei onverkwikkelijkheden voorgedaan. De overgang van prinses Irene naar de katholieke kerk was gepaard gegaan met geheimzinnigheid, ook het kabinet was er door overvallen. De prinses had zich tegenover de pers positief uitgelaten over het Franco-regime, er was veel verwarring over en weer geweest, de voorlichting was chaotisch en tegenstrijdig en de carlistische aanhang van de bruidegom had geprobeerd het huwelijk zoveel mogelijk uit te buiten. Ook deze affaire bleef niet zonder staatsrechtelijke gevolgen. Tijdens het debat erover in de Tweede Kamer op 11 februari 1964 stelde de VVD-woordvoerder mr. W.J. Geertsema onder meer dat 'wanneer de minister-president zijn theoretische verantwoor-delijkheid voor het handelen van het staatshoofd niet meer waar kan maken' – hiervan zou sprake zijn als de bewindsman door de monarch een tijdlang in volslagen onwetendheid is gelaten – 'er binnen het kader van de constitutionele monarchie een onoplosbare crisis zou kunnen optreden en dat zou het einde van de constitutionele monarchie kunnen betekenen.'[115] De ministers van Staat dr. W. Drees en mr. P.J. Oud brachten een advies uit over de ministeriële verant-woordelijkheid op grond waarvan minister-president V.G. Marijnen een nota indiende. De kern hiervan was dat de ministeriële verantwoordelijkheid op alle terreinen van het staatsbestel betrekking heeft waar het belang van de staat in het geding is en dat het antwoord op de vraag óf het staatsbelang in het geding is, door het kabinet wordt beoordeeld. Op grond van een Koninklijk Besluit van 13 december1965 kwam de berichtgeving omtrent en vanwege het Koninklijk Huis verder voortaan onder verantwoordelijkheid van de hoofddirecteur van de Rijksvoorlichtingsdienst, die direct onder de minister-president staat.[116]

Op 10 maart 1965 werd het huwelijk aangekondigd van prinses Margriet met de heer Pieter van Vollenhoven. Ondanks het feit dat het hier het huwelijk betrof van een prinses van Oranje-Nassau met een burger waren de meeste reacties positief. Iedereen herinnerde zich het carlistische spektakel nog maar al te goed en voor de orthodox-protestanten moet het een troost zijn geweest dat Pieter van Vollenhoven tenminste hervormd was. De parlementaire goedkeuring voor het huwelijk werd probleemloos gegeven. Het echtpaar zou zich later verdienstelijk maken door op een sympathieke manier te participeren in de representatieve verplichtingen van het Koninklijk Huis. Het feit dat koningin Juliana bij de aankondiging van deze verloving geen enkel voorbehoud toonde, versterkte haar democratische imago. Grootmoeder Wilhelmina zou daar anders tegen aangekeken hebben. Zij hield van soberheid, maar zij benadrukte ook de noodzaak van distantie. 'Zij liet zich eens ontvallen dat wanneer alle uitzonderlijke vormen, heel het protocolreliëf zouden wegvallen, het Koningschap wel eens zou kunnen verdwijnen, zomaar afvloeien.'[117]

Het huwelijk van prinses Christina met de Cubaanse banneling Jorge Guillermo, waarvoor geen parlementaire toestemming werd gevraagd, zou evenmin voor veel beroering zorgen. Maar eerder in 1965 rond de verloving van kroonprinses Beatrix met de Duitse diplomaat Claus von Amsberg was daarentegen wel grote commotie ontstaan. De verontwaardiging in kringen van het voormalig verzet was ongekend fel afwijzend. De kleindochter van de vorstin, die symbool stond voor het verzet, zou trouwen met een Duitser die in de Wehrmacht gediend had. De conclusie van dr. L. de Jong, de directeur van het Instituut voor Oorlogsdocumentatie, dat hij over de tijd dat Claus von Amsberg voor de Wehrmacht in Italië gediend had niets onoorbaars te melden had, kon de meeste tegenstanders van het voorgenomen huwelijk niet overtuigen. Hetzelfde gold voor de slotwoorden van Juliana bij de tv-introductie van het verloofde paar: '...Ik kan u verzekeren: Het is goed!' De overmoed van het kabinet-Cals om het huwelijk in strijd met

Prinses Beatrix en Claus von Amsberg na de aankondiging van hun verloving, juni 1965.

de Oranjetradities uitgerekend in Amsterdam te laten plaatsvinden – toen het magische centrum van een revolterende generatie – werd afgestraft met rookbommen.

## 'Vest op prinsen geen betrouwen'

In de jaren zeventig leek het rustiger geworden rond het Koninklijk Huis. Ook de nieuwe regeling voor het Koninklijk Huis, de wet Financieel Statuut van het Koninklijk Huis 1972, leverde eigenlijk betrekkelijk weinig discussie op. Deze regeling komt erop neer dat het staatshoofd en enkele andere leden van het Koninklijk Huis (prinses Juliana, prins Bernhard, prins Claus en de kroonprins en eventuele echtgenote) een geïndexeerd inkomen ontvangen en dat de uitgaven die in het kader van de uitoefening van de koninklijke functie gedaan worden ten laste komen van de desbetreffende departementale begrotingen. Zo vallen bijvoorbeeld de kosten gedaan voor een staatsbezoek in principe onder Buitenlandse Zaken.[118]

Er kwam een einde aan deze rust toen een vertegenwoordiger van de vliegtuigmaatschappij Lockheed tijdens een hearing van een Amerikaanse Senaatscommissie de naam van Prins Bernhard liet vallen in verband met de acceptatie van smeergelden. Dit was voor de regering aanleiding een onderzoek te doen instellen naar de juistheid van deze verklaring. De daartoe ingestelde Commissie van Drie, naar de voorzitter ook wel de commissie-Donner genoemd, concludeerde in haar rapport (augustus 1976) dat prins Bernhard zich aanvankelijk veel te lichtvaardig had begeven in transacties 'die de indruk moesten wekken dat hij gevoelig was voor gunsten', en zich vervolgens 'toegankelijk had getoond voor onoorbare verlangens en aanbiedingen'. Prins Berhard was na de oorlog teruggekomen als de 'golden glamour boy'. De oorlog had hem de kans geboden zich als Nederlander te bewijzen. Doordat hij in Londen zo lang in de nabijheid van zijn schoonmoeder verkeerd had, straalde iets van haar glorie op hem af. Hij kreeg van haar en van de achtereenvolgende kabinetten alle ruimte zich te ontplooien en daar heeft hij optimaal gebruik van gemaakt. Hij wist in korte tijd een grote staat van dienst op te bouwen. Nadat hij in het laatste oorlogsjaar opgetreden was als bevelhebber van de Binnenlandse Strijdkrachten werd hij na de oorlog inspecteur-generaal van alle strijdmachtonderdelen. Voorts werd hij medeoprichter en voorzitter van de prestigieuze Bilderbergconferenties waaraan vips uit Europa en Amerika deelnamen en hij was onder meer ook voorzitter van het World Wildlife Fund. Internationale prominenten staken de loftrompet over hem. Hij volbracht met succes en tot groot genoegen van de verschillende kabinetten buitenlandse missies om orders voor de Nederlandse industrie binnen te halen, de landingsrechten van de KLM veilig te stellen e.d. De prins, P.B., zoals hij door vrienden genoemd werd, wist uitstekend te netwerken. Hij had de voor deze omstandigheden hinderlijke handicap dat het hem ontbrak aan voldoende mensenkennis. Eerder genoemde freule Wttewaal, die er prat op ging kind aan huis te zijn op Soestdijk en die erg graag roddelde, placht ver voordat de Lockheed-affaire speelde, in het familiejargon van Soestdijk te zeggen: 'Pappie heeft vaak verkeerde vrienden.'

Het gedrag van de prins was natuurlijk absoluut onaanvaardbaar. Maar bepaalde ontwikkelingen waren vanuit de voorgeschiedenis wel te verklaren. In 'De Prins-Gemaal' wijst Harry van Wijnen erop dat er indertijd, toen de prins als jong echtgenoot van de kroonprinses zich in Nederland oriënteerde, nauwelijks aandacht besteed is aan zijn introductie in het constitutionele en politieke systeem. De achtereenvolgende verantwoordelijke bewindslieden hadden vervolgens ook nagelaten voldoende toezicht op de prins uit te oefenen en ook de Commissie van Drie moest toegeven dat 'politieke en militaire autoriteiten op het ministerie vanDefensie zo nu en dan een beroep op Z.K.H. gedaan hadden om zijn relaties te benutten in het kader van hun aanschaffingsbeleid'.[119] Van Wijnen spreekt in dat verband van een tekortkoming dat er geen historicus in de commissie van onderzoek opgenomen was.

De publicatie van het rapport, dat zeer negatief uitpakte voor de enorm populaire prins, sloeg in als een bom. Nederland was ontgoocheld. Als het op Oranje aankwam, was ook bijbelvast Nederland vergeten dat 'de Schrift' niet voor niets waarschuwt 'Vest op prinsen geen betrouwen, daar gij nimmer heil bij vindt' (Psalm 146:3). Premier Den Uyl stond voor de vraag hoe het kabinet met deze gevoelige materie zou omgaan. Er is wel gesteld dat Den Uyl door zijn optreden het koningschap gered zou hebben. Hij is in elk geval zeer verantwoord en zorgvuldig met de kwestie omgegaan. Maar er zat ook niets anders voor hem op. Het christelijk-historische kamerlid Henk Kikkert vertelde in de tijd dat het rapport van de Commissie van Drie op punt van verschijnen stond, dat hij met Den Uyl een gesprek over de Lockheed-affaire had gehad.[120] Kikkert zou het gesprek begonnen zijn met de uitnodiging om samen eens een wandeling door Den Haag te maken langs de plaatsen waar Johan van Oldenbarnevelt en Johan de Witt het leven gelaten hadden als tegenstanders van de Oranjes. Den Uyl begreep de hint en zou Kikkert daarop tot zijn geruststelling geantwoord hebben dat hij deze wandeling niet nodig had, omdat hij wel degelijk besefte dat geen enkel weldenkend mens zat te wachten op een constitutionele crisis en dat het voor hem als premier zelf ook een zeer riskante materie betrof. Hij zei dat hem een aanpak voor ogen stond waardoor de schade voor iedereen zoveel mogelijk beperkt zou blijven. Uiteindelijk besloot de regering niet tot een strafrechtelijk onderzoek over te gaan. De prins moest terugtreden uit zijn militaire en de meeste andere van zijn publieke functies en er werd overeengekomen dat hij geen uniform meer zou dragen.

Degenen die kritiek hebben op de beslissing dat er geen strafvervolging tegen de prins is ingezet, veronachtzamen de voorgeschiedenis en vergeten dat het rapport van de Commissie van Drie hiervoor waarschijnlijk onvoldoende basis zou zijn geweest.[121] Bovendien werd terecht geoordeeld dat het staatsbelang er niet mee gediend zou zijn. Dit is niet specifiek iets voor het koningschap. De toenmalige Amerikaanse president Gerald Ford verleende zijn voorganger Richard Nixon immuniteit van strafvervolging en de Russische president Poetin deed tegenover Jeltsin hetzelfde. De Franse republiek heeft zelfs de bepaling dat de president van de republiek – zaken van hoogverraad daargelaten – gedurende zijn presidentschap niet juridisch vervolgd kan worden.

## De definitieve depolitisering en de onttovering versus de 'familialisering'

Geschetste problemen frustreerden de verdere ontwikkeling in democratische richting van het koningschap niet. Integendeel, ze hebben dit proces versneld. Behalve dat koningin Juliana er de persoon niet naar was om zo'n ontwikkeling bewust te willen frustreren, zagen we dat elke crisis die zich voordeed, steeds leidde tot een nadere constitutionele precisering, waarvan de tendens was dat de politiek de staatsrechtelijke speelruimte van het staatshoofd verder heeft ingeperkt. Het jaar 1956 was wat dat aangaat het definitieve keerpunt. Behalve waar het de regeling betreffende de omvang van het Koninklijk Huis aanging, heeft koningin Juliana zich sindsdien in politiek opzicht zeer terughoudend opgesteld. Dit onderwerp betrof dan weer een meer persoonlijk getint thema, omdat de koningin weigerde een onderscheid aan te brengen in de positie van haar kleinkinderen. Uiteindelijk is de situatie zo uitgekristalliseerd dat het niet meer de vraag was of de koningin de adviezen van haar ministers op zou volgen, maar zijn het de ministers die zich hebben af te vragen in hoeverre ze ingaan op de suggesties van de koningin.[122] Andere rechten dan die welke Bagehot de constitutionele vorst toedacht, namelijk de rechten van 'advies, aansporing en vermaan' waren sindsdien niet meer reëel.

Zoals gesteld gaf de zeer persoonlijke invulling van het koningschap Juliana een hechte band met de bevolking, maar dit maakte haar ook kwetsbaar. Bij de gratiëring van de oorlogsmisdadigers ging het om haar persoonlijke interpretatie van haar verantwoordelijkheid als koningin. Voor de Hofmans-affaire gold hetzelfde, hoewel deze niet los stond van de handicap van haar dochtertje. Bij de twee huwelijken van haar dochters, die zoveel opwinding teweegbrachten, was er wel sprake van een sterke persoonlijke betrokkenheid van de koningin, maar haar verantwoordelijkheid ervoor was toch maar zeer beperkt en haar houding was constitutioneel correct. Zo was het ook met het probleem rond prins Berhard, dat de Lockheed-affaire is gaan heten. De spanning tussen enerzijds haar persoonlijke betrokkenheid als moeder en echtgenote en anderzijds haar rol als staatshoofd gaf het geheel de dimensie van een persoonlijke tragedie. Het spektakel rond de prinselijke huwelijken had weinig koninklijks en de Lockheed-affaire was ontluisterend. Deze gebeurtenissen vormden als het ware ook de bevestiging van het proces van onttovering dat in de moderne maatschappij al aan de gang was en dat nu toch ook de Oranjemythe aantastte. Gestimuleerd door dit soort gebeurtenissen en passend bij de 'sfeer van de jaren zestig' ontstond er wat meer discussie over de wenselijkheid van het koningschap. Nieuw-Links, de linkervleugel van de PvdA, sprak zich in het pamflet 'Tien over Rood' zelfs uit voor invoering van de republiek als koningin Juliana zou zijn afgetreden. Maar de partijleiding was niet van plan hier wat mee te doen en Oranje kon wel tegen een stootje. Overigens was het niet meer dan logisch en in democratisch opzicht gezond dat de Oranjemythe tot meer normale, meer bij deze tijd passende proporties teruggebracht werd.

De problemen en spanningen die zich tijdens de regering van koningin Juliana voordeden, zouden zich bij een meer afstandelijk functionerende koningin mogelijk tegen haar gekeerd hebben, maar dat was toen beslist niet het geval. Het publiek leefde intens met haar mee. Dit heeft ook te maken met het verschijnsel dat tegenover de onttovering of ontmythologisering en de depolitisering waardoor het koningschap gerelativeerd werd, een ontwikkeling versterkt werd die – hoewel Van Dalen het woord niet kent – aangeduid zou kunnen worden door de term 'familialisering'. Het gaat verder dan popularisering zoals bij filmsterren, omdat het koningschap een instituut betreft dat de pretentie heeft de nationale eenheid te belichamen, i.c. te willen versterken. Het ligt in de lijn van de opmerking die minister Van der Palm al over koning Willem I maakte, die volgens hem voor de volwassenen een broeder, voor de ouderen een zoon en voor de jongeren een vader was. De explosieve groei van de massamedia heeft dit verschijnsel van de 'familialisering' in de moderne tijd extreem uitvergroot. De afbeeldingen van en berichten over de leden van de koninklijke familie komen bij iedereen dagelijks binnen. Hun persoonlijke ontwikkeling en hun wel en wee worden onderdeel van de collectieve belevingswereld van het publiek. De illusie wordt erdoor gewekt dat ze familieleden zijn die de natie gemeenschappelijk deelt. Op grond van dit verschijnsel kon Paul van Vliet toen koningin Beatrix vijftig werd zeggen: 'Als de koningin jarig is zijn we allemaal een beetje jarig.' Leden van de koninklijke familie die dit verschijnsel niet onderkennen, stellen het publiek gauw teleur. Het koningschap is er nog PR-gevoeliger door geworden.

Koningin Juliana's persoonlijkheid en de aard van de affaires die zich tijdens haar regering voordeden, pasten bij het verschijnsel van de 'familialisering'. De doorsnee-Nederlander kon veel van zichzelf in haar herkennen. Naarmate ze langer regeerde, werd Juliana steeds meer het dierbare familielid van iedere Nederlander dat altijd zo haar best deed en die in haar leven toch zoveel te verwerken gekregen had. De Lockheed-affaire, die de dimensie had van een koningsdrama, kreeg zo in ons land het karakter van een gemeenschappelijke Nederlandse familietragedie.

# 8 Beatrix, mythe en moderniteit

## Veeleer distinctie dan distantie

Het verhaal gaat dat koningin Beatrix begin jaren tachtig een bezoek aan Parijs bracht om een tentoonstelling in het Louvre te bezichtigen. De toenmalige Franse president Mitterrand die hiervan gehoord had, zou de koningin voorgesteld hebben haar bij het museumbezoek te vergezellen. Ze reden door Parijs, richting museum in grote snelheid. Dit was mogelijk doordat alle stoplichten voor de presidentiële limousine automatisch op groen sprongen. Koningin Beatrix die dit opviel, zou toen gezegd hebben: 'Mijnheer de president, als ik voor een privé-bezoek het verkeer in Amsterdam zo zou laten regelen, zou Nederland in de kortste keren een republiek zijn.' Apocrief of niet, het verhaal past in elk geval wel bij de impressies van het staatsbezoek dat president Mitterrand in 1984 aan Nederland bracht. Daar schreed een streng voor zich uit kijkende president, arrogant en hoewel socialist, iemand die volledig opging in zijn rol van natuurlijke opvolger van Lodewijk XIV. Naast hem liep de Nederlandse koningin, gedistingeerd maar toch vriendelijk groetend naar iedereen die haar bekend voorkwam. Treffend kwam hier het verschil tot uitdrukking tussen de quasi monarchale allure van het Franse presidentschap en het Nederlandse low

Koningin Beatrix legt de eed op de grondwet af tijdens de inhuldiging in 1980.

profile, of republikeinse koningschap van de Oranjes. Het vertoon van 'pomp and circumstance' waardoor de Britse monarchie gekenmerkt wordt, zou evenmin bij de Oranjes passen. Het 'theater van de staat' vindt in Nederland eens per jaar zijn hoogtepunt tijdens Prinsjesdag, als de traditionele opening van het parlement plaatsheeft. Maar het daarbij behorende ceremonieel werd in 1968 al onder koningin Juliana drastisch vereenvoudigd.[123] En in 1980 moest de toenmalige minister-president Van Agt zijn uiterste best doen om koningin Beatrix zover te krijgen dat ze ter gelegenheid van haar inhuldiging de hermelijnen koningsmantel zou dragen. Hoewel dit niet wil zeggen dat deze koningin geen oog zou hebben voor de betekenis van 'het theater van de staat'. Integendeel. Ze gelooft weliswaar 'niet in folklore, maar wel in functionele franje'.[124]

Ook uit de behuizing van de Nederlandse koningin blijkt dit low profile karakter. Het paleis Huis ten Bosch is allerminst een Buckingham Palace. Het is een charmant landgoed gelegen op de grens van het bos en de stad. Er spreekt traditie uit en het is stijlvol, maar het is niet bedoeld om te imponeren. Ditzelfde geldt voor het 'werkpaleis', Paleis Noordeinde, vroeger Het Oude Hof geheten, dat in de stad gelegen is en waar tot grote spijt van veel Hagenaars zelfs een kleurrijke ceremoniële aflossing van de wacht ontbreekt. Dit werkpaleis – deze aanduiding alleen al herinnert ons eraan dat de Oranjes de enige regerende, calvinistische dynastie ter wereld zijn – draagt het stempel van het huidige staatshoofd. Haar staf, rationeel georganiseerd als een zeer modern bedrijf, is er gehuisvest en de moderne kunst is er opvallend aanwezig.[125] De sfeer die ervan uitgaat, wordt treffend getypeerd met de woorden efficiënt en sophisticated.

Maar low profile wil allerminst zeggen dat het Nederlandse koningschap ambitieloos zou zijn. Integendeel, koningin Beatrix geeft blijk van grote betrokkenheid en plichtsbesef en van veel kennis van zaken op tal van terreinen. Met name haar inzicht in het staatsrecht wordt geprezen. Bovendien vervult ze haar functie met allure. Prof. dr. E.H. Kossmann sprak in een rede ter gelegenheid van het koperen regeringsjubileum van koningin Beatrix van 'de zwier en deskundigheid waarmee het ambt wordt uitgeoefend' waardoor het in onze maatschappij 'in een nieuwe vorm van glorie verschijnt'.[126] Harry van Wijnen, 'een republikein, die er geen traan om zou laten als de monarchie zou blijven bestaan', stelt dat de koningin in 1980 'een overrompelende entree' maakte. Hij gaat verder:

*Ze was nog maar kort in functie toen ze op een staatsbezoek in de Verenigde Staten de Amerikaanse pers in de vermaarde Press Club in Washington imponeerde door haar présence, haar kennis van de internationale verhoudingen en haar high-church Engels. Zij nam in dat forum van wereldwijze waarnemers zoveel licht weg dat de met haar meereizende Minister van Buitenlandse Zaken Max van der Stoel gevaar liep over het hoofd te worden gezien. Haar charmes brachten in binnen- en buitenland de handen van het publiek op elkaar, ze betoverde de media en ze ontwapende de ministers en fractievoorzitters met wie ze in contact kwam. Ze raakten niet uitgepraat over het uitgebreide netwerk van haar internationale relaties en ze spraken met een mengeling van bewondering en verrukking over haar ambities.*[127]

Degenen die het Nederlandse staatshoofd ontmoeten, beseffen terdege met een professional van doen te hebben, die blijk geeft van een grote betrokkenheid en die op een inhoudelijke wijze haar taak wil uitoefenen. Het respect dat ze daarbij verwacht, betreft niet zozeer haarzelf als wel haar ambt. Niet de behoefte aan distantie is uiteindelijk bepalend voor haar houding, maar het besef dat ze een bijzondere functie vervult en dat degene die het gezag belichaamt zich dient te onderscheiden. Dignitas en humanitas, waardigheid en menselijkheid, zijn de twee aspecten waardoor volgens de schrijfster Hella Haasse het koningschap gekenmerkt wordt; koningin Beatrix neemt ze beide serieus.[128]

## De voorbereiding

Ook Beatrix werd als kroonprinses uitstekend op haar functie voorbereid. In 'Koningin Beatrix: een instituut' besteedt Fred. J. Lammers uitgebreid aandacht aan haar jeugdjaren.[129] Voor het basisonderwijs koos hun idealistische moeder voor de prinsesjes 'De Werkplaats' van Kees Boeke in Bilthoven. Bij deze pedagogische vernieuwer stond de vorming centraal. De prinsessen leerden schrobben en poetsen, maar bij het verlaten van de school constateerde hun meer praktisch ingestelde vader dat ze de tafels van vermenigvuldiging nog niet beheersten. Tijdens haar schoolperiode kwam haar artistieke en creatieve aanleg tot uiting in haar liefde voor tekenen en boetseren. Het voorzitterschap van de leerlingenraad gaf al iets aan van haar latere leidinggevende capaciteiten. Ondanks de weinig overzichtelijke thuissituatie (de veelvuldige afwezigheid van haar ouders en de vervreemding tussen hen vanwege de Hofmans-affaire) wist ze haar gymnasiale opleiding in normaal tempo af te leggen. Daarna volgde ze als kroonprinses een uitgebreid studieprogramma (vrije studierichting rechten) waarin onder andere vielen: economie, sociologie, rechtswetenschappen en staatsrecht, en parlementaire geschiedenis. Beatrix woonde in haar studententijd in een gewoon huis in Leiden, Rapenburg 45. Na vijf jaar studeerde ze af. Als kroonprinses maakte ze veel internationale reizen en ze bezocht al jong de door haar vader in het leven geroepen prestigieuze Bilderbergconferentie, waar ze tal van toppolitici en captains of industry leerde kennen. Op achttienjarige leeftijd deed ze geloofsbelijdenis bij de vrijzinnig hervormde predikant dominee H.J. Kater. In hetzelfde jaar kreeg ze, zoals voor een Nederlandse troonopvolger gebruikelijk, toegang tot de Raad van State. Ook de deelname aan dit college nam ze serieus. Haar maatschappelijke oriëntatie was zeer breed. Zelfs een bezoek aan de Wallen in Amsterdam, als heilssoldate vermomd en onder leiding van majoor Bosshardt, werd niet overgeslagen.[130]

De opleiding bleek alleszins aan haar besteed. Ze was intelligent en leergierig en gaf ondanks haar vrolijke karakter al vroeg blijk van een serieuze levensinstelling. De toespraak die ze in 1961 hield voor een internationaal congres van jongeren in de Franse universiteitsstad Toulouse was hier een illustratie van. Beatrix – net afgestudeerd, inwendig zeer nerveus en door hoofdpijn geplaagd, maar uiterlijk rustig – hield een gloedvol betoog waarin ze de vraag aan de orde stelde naar de normen en waarden die de jongeren in het nieuwe Europa zouden kunnen inspireren. Met dit verhaal, degelijk en inhoudelijk, had de kroonprinses haar visitekaartje afgegeven.

Toch was het oordeel over haar niet bij iedereen even positief. Achtte de een de termen plichtsgetrouw, vasthoudend, gedisciplineerd en karaktervast op de kroonprinses van toepassing, de ander noemde haar eerder eigenzinnig of zelfs onhandelbaar en verwachtte op grond daarvan dat ze later zou trachten haar zin door te zetten. De onvrede over het feit dat ze vasthield aan haar voornemen om met de Duitser Claus von Amsberg te trouwen, bracht drs. G.M. Nederhorst, de fractievoorzitter van de PvdA in de Tweede Kamer, ertoe een 'vertrouwelijke' brief aan 73 partijgenoten te sturen. Hierin schetst hij het beeld van een behoorlijk eigenzinnige jonge vrouw, die er geen benul van zou hebben wat er in de toekomst van haar als koningin eigenlijk verwacht werd. Toch moet dat velen al gauw enorm meegevallen zijn. Het kroonprinselijk paar deed er alles aan de

Nederlandse samenleving te leren kennen en ook degenen die zich in 1966 nog tegen hun huwelijk gekeerd hadden, kregen een handreiking. Tal van progressieve intellectuelen en kunstenaars werden in die jaren op Drakesteijn ontvangen en leerden Beatrix en Claus waarderen. Beatrix kreeg in elk geval ruim de tijd zich op het koningschap voor te bereiden. Ze begreep heel goed dat het niet eenvoudig zou zijn haar populaire moeder op te volgen. De turbulentie waarvan tijdens de regering van haar moeder een paar keer sprake was, moet haar overigens een gruwel geweest zijn. Het moet haar gesterkt hebben in haar overtuiging dat een al te persoonlijke invulling van het koningschap de kwetsbaarheid ervan bevordert. De stijl van haar moeder zou haar bovendien niet gelegen hebben. Net als haar grootmoeder besefte ze maar al te goed dat het 'gewone' optreden van een vorst alléén aanspreekt zolang het koningschap toch ook nog iets ongewoons blijft behouden. Ze wist al vroeg dat ze het anders zou aanpakken. De waardigheid van het koninklijk ambt behoorde het uitgangspunt te zijn. Het staatshoofd diende vooral professioneel te functioneren, het publieke en persoonlijke domein behoorden zoveel mogelijk gescheiden te blijven en voor het hof werd een bedrijfsmatige opzet noodzakelijk geacht. Toen koningin Beatrix in 1980 aantrad, sloot deze visie naadloos aan bij de alom heersende geest van zakelijkheid waarvan onder meer het 'no-nonsensekabinet', dat zich spoedig zou aandienen, de exponent was.

## Taakopvatting: kwalitatieve legitimatie

Koningin Juliana trad de mensen weliswaar zeer open tegemoet, maar als het erop aankomt, heeft haar dochter zich wat haar taakopvatting betreft naar buiten toe veel duidelijker uitgesproken. Als dertienjarige moet Beatrix eens gezegd hebben: 'Koningin zijn is moeder zijn van je land. Iedereen ziet naar een koningin op zoals een kind naar zijn moeder. Zij moet altijd het goede voorbeeld geven. Dat is een vreselijke verantwoordelijkheid.'[131] Het besef van de waardigheid en het bijzondere karakter van de taak die ze in haar leven te vervullen had, leefde dus al vroeg. Haar grootmoeder, prinses Wilhelmina, zou dit besef bewust nog aangescherpt hebben, door voor haar als kroonprinses de rode loper uit te leggen als haar kleindochter haar bezocht. Het is daarom niet zo verbazingwekkend dat ze vanaf de tijd dat ze in Leiden ging studeren er heel bewust de voorkeur aan

Prinsjesdag 1991.

gaf met koninklijke hoogheid te worden aangesproken en later, toen ze koningin geworden was, met majesteit.

Bij haar troonsbestijging in 1980 sprak koningin Beatrix onder meer de woorden: 'Met ernst heb ik mij voorbereid op deze zware taak en ik besef dat er veel van mij gevraagd zal worden. Toch wil ik deze functie aanvaarden als een grote en mooie opdracht.' En verder: '...Niet macht, persoonlijke wil of aanspraak op erfelijk gezag, maar slechts de wil de gemeenschap te dienen, kan inhoud geven aan het hedendaagse koningschap'. En ook: 'Ik ken mijn opdracht: te handelen buiten eigen voorkeur en te staan boven partij- en groepsbelangen.' In de week hieraan voorafgaand had ze in een interview met Ad Langenbent aangegeven dat ze het geen vanzelfsprekende zaak vond om koningin te worden. Ze zei onder meer: 'Het is bepaald niet zo dat, omdat je in een bepaalde wieg hebt gelegen, daarmee je bed is gespreid. Het probleem van de erfelijkheid is een continue uitdaging. Je moet het elke keer voor je zelf verwerven en het waarmaken. Dat is een extra uitdaging en ook misschien een extra probleem.' Koningin Beatrix beschouwt het koningschap zelf als een nationaal herkenningspunt dat gedragen dient te worden door een breed publiek en dat zowel een inhoudelijke als een sterk symbolische functie heeft. Ze stelde: 'Wij proberen een invulling te geven van wat het goede is in Nederland en daar ook naar te leven.' Uit eerder vermelde citaten blijkt tevens dat voor haar macht of persoonlijk gezag niet meer als wezenlijk beschouwd kan worden voor het koningschap maar 'de wil om de gemeenschap te dienen. Daarbij moeten eigen voorkeuren en eigen keuzes van het staatshoofd binnenskamers blijven. Dat laatste is voor een optimaal functioneren van de monarchie belangrijk'. Het koningschap ziet ze daarbij breder dan het louter staatkundige aspect ervan. In samenspraak met prins Claus en met de toenmalige premier Lubbers werden begin jaren tachtig ideeën ontwikkeld over het koningschap, dat zou moeten fungeren als het 'hart van de natie'. Haar intenties blijven even serieus. Als ze al weer een aantal jaren in functie is zegt ze in 1988 in een interview met Hella Haassse over haar werk: 'Dit is de opdracht van mijn leven. Dit moet ik nu eenmaal doen. Maar dan wil ik het ook goed doen (...) en zo goed mogelijk geïnformeerd (zijn).'

De troonswisseling in 1980 was een voorbeeld van het aanpassingsvermogen, van de elasticiteit van het koningschap. Na de Lockheed-affaire was een nieuwe start ook wel gewenst. Maar ook los daarvan achtte de nieuwe koningin de tijd rijp

Koninginnedag 1988, een onverwacht bezoek van de koninklijke familie aan de Jordaan in Amsterdam levert veel enthousiaste tafereeltjes op.

om een nieuwe, meer eigentijdse invulling aan haar functie te geven. Ze koos heel bewust voor een professionalisering van het koningschap. Het hof werd drastisch gemoderniseerd. De leden van de staf zijn sindsdien van een niveau dat ze stuk voor stuk geschikt zouden zijn voor een hoge functie in het bedrijfsleven of in de bureaucratie. Er zijn dan ook nogal wat gedetacheerde ambtenaren onder, die na verloop van tijd weer naar een ministerie terugkeren. Het is in principe niet de bedoeling dat ze aan het hof hun pensioen af blijven wachten, hoewel de koningin, nu ze ouder wordt, toch eerder geneigd blijkt haar stafleden te handhaven. De deskundigheid is zo breed over de staf gespreid dat de koningin met deze staf op de achtergrond met elke minister en elke buitenlandse gast terzake op niveau kan communiceren. Daarnaast beschikt de koningin nog over een netwerk van deskundigen op nationaal en internationaal gebied. Ze leest een ongekende hoeveelheid stukken en spreekt enorm veel mensen. Hierdoor en door haar unieke vertrouwenspositie wordt ze geacht een van de best geïnformeerde Nederlanders te zijn. Elke ontmoeting, of het nu politici, diplomaten, beleidsambtenaren of bestuursleden van jubilerende verenigingen betreft, wordt grondig voorbereid en via gerichte vragen tracht ze nog meer te weten te komen. Later kunnen de bevindingen die eruit voortvloeien in gesprekken met onder meer ministers weer opgevoerd worden. Ook aan de staatsbezoeken gaat een degelijke voorbereiding vooraf. Het koninklijk paar leest veel over het te bezoeken land, deskundigen worden uitgenodigd en deze leveren zonodig teksten aan die door de koningin tot een speech bewerkt worden. Soms probeert de koningin als speels detail, bijvoorbeeld door gebruikmaking van de nationale kleuren in haar kleding, een hommage aan het te bezoeken land te brengen. Harry van Wijnen signaleerde met recht 'een nijpend tekort aan monarchale incidenten' en constateerde dat het hof van Beatrix zichzelf geprofessionaliseerd en gemoderniseerd had en 'schandaalbestendig' geworden was. [132] Deze professionalisering wordt door de bevolking zeker gewaardeerd, maar als de koningin 'het goed doet', is dat ook voldoende. Voor de Nederlanders behoeft ze zich niet voortdurend kwalitatief te legitimeren. Minister Weitzel zei al ten tijde van koning Willem III dat een telg uit het Huis van Oranje in Nederland slechts weinig behoeft te doen om 'door den volke op handen te worden gedragen'. [133] Ze zou het zichzelf wat gemakkelijker kunnen maken door wat meer te teren op het 'erfcharisma' van de Oranjes. Maar het is duidelijk dat koningin Beatrix met haar taakopvatting en met haar karakterstructuur alle capaciteiten waarover ze beschikt zal inzetten om haar functie zo goed mogelijk te vervullen. Bovendien staat deze koningin net als de meeste andere Nederlanders in een burgerlijk-republikeinse traditie en ook zij heeft de invloed van de heersende politieke logica ondergaan. In elk geval blijkt ook voor haar het koningschap geen vanzelfsprekende zaak meer. In bovenvermelde citaten spreekt ze van het 'probleem van de erfelijkheid' en noemt dat een 'continue uitdaging'. Ze heeft het in dit verband over 'een extra uitdaging en misschien ook een extra probleem'. Juist op grond hiervan moet ze sterk de behoefte hebben om via een perfecte professionele uitoefening van haar taak het koningschap vooral kwalitatief te legitimeren. Dit kan natuurlijk een permanente stimulans betekenen om optimaal te functioneren, maar of het altijd een relaxte werkhouding op zal leveren is natuurlijk een ander thema.

## Het 'geheim van het paleis'

Volgens de Nederlandse grondwet is de koningin lid van de regering en als zodanig is haar handtekening nodig onder wetten, Koninklijke Besluiten en algemene maatregelen van bestuur en onder belangrijke benoemingen. Dat wil overigens niet zeggen dat de totstandkoming afhangt van de vraag of de koningin er inhoudelijk al of niet mee instemt. Als lid van de regering spreekt ze ook de troonrede uit, maar iedereen weet dat de tekst bepaald wordt door het politiek verantwoordelijke kabinet. Het lidmaatschap van de Raad van State vormt evenmin een machtselement in de uitoefening van het koningschap. Het voorzitterschap van dit oudste en voornaamste college van advies van de regering is namelijk een louter ceremoniële functie. De dagelijkse leiding is in handen van de vice-voorzitter. Verder speelt het staatshoofd tot nu toe een niet onbelangrijke rol bij de kabinetsformatie, maar ook in dit geval worden de besluiten genomen op grond van de richting waarheen de meerderheid van de adviezen wijst. De staatkundige rol van de koning als staatshoofd wordt volledig bepaald door artikel 42.2 van de grondwet dat luidt: 'De Koning is onschendbaar; de ministers zijn verantwoordelijk.' In de gegroeide staatkundige praktijk komt het erop neer dat het staatshoofd in staatkundig opzicht een adviserende rol vervult en zich onthoudt van publieke uitspraken en handelingen die controversieel kunnen liggen. Alles wat de koningin politiek doet of nalaat valt uiteindelijk onder verantwoordelijkheid van het kabinet. Voor de adviezen, die bewindspersonen eventueel van het staatshoofd overnemen, zijn ze alléén zelf politiek verantwoordelijk. Omdat het niet wenselijk zou zijn dat het onschendbare staatshoofd te veel in de politieke strijd betrokken raakt, blijft alles wat tussen de koningin en de ministers besproken wordt in principe geheim. Vroeger werd er gesproken van het geheim van Soestdijk, tegenwoordig van het geheim van Huis ten Bosch.

Omdat geheimen mensen nu eenmaal uitnodigen om te proberen deze te ontsluieren, heeft men altijd pogingen ondernomen het geheim van het paleis op zijn minst te duiden. Vroeger suggereerden ook staatsrechtsgeleerden aan de hand van de grondwettekst van voor 1983 nogal eens dat het staatshoofd over meer invloed beschikte dan de leer van de ministeriële verantwoordelijkheid in werkelijkheid toestond. Anderen konden zich weer niet voorstellen dat het staatshoofd toch meer dan een louter ceremoniële rol zou vervullen. Momenteel is soms enige kritiek te vernemen op het geheime karakter van dit overleg, alsof in een democratie elk vertrouwelijk gesprek per definitie onoorbaar zou zijn en alsof de microfoons van de media in de werkkamers van het Elysée Paleis en het Witte Huis wél dag in dag uit open zouden staan.

Het moderne koningschap is in hoge mate gedepolitiseerd. Maar behalve het symbolische aspect heeft het in de Nederlandse verhoudingen toch ook nog een sterk inhoudelijke kant. Juist doordat het koningschap gedepolitiseerd is en doordat het als instituut naar aard en functie georiënteerd is op het algemeen belang en staat voor de samenhang en continuïteit van de Nederlandse samenleving, kan er sprake zijn van een zinnige en eigensoortige inbreng. Daar komt nog bij dat een koning meestal jarenlang uitstekend op zijn taak is voorbereid en vanuit een vertrouwenspositie veel ervaring kan opdoen. Een politicus doet er daarom verstandig aan de koninklijke adviezen serieus bij zijn/haar overwegingen te betrekken, maar de invloed van het staatshoofd kan nooit groter zijn dan de politiek toestaat. Omdat koningin Beatrix een sterke persoonlijkheid is met een duidelijke eigen mening, zijn er altijd wel mensen geweest die veronderstelden dat ze zou trachten zich politiek te doen gelden. Dat was al in de tijd toen ze kroonprinses was en dat zou later ook zo zijn. Drs. Ruud Lubbers, die de koningin als premier jarenlang elke maandagmiddag ontmoette, zegt hierover: 'De suggestie is volstrekt onjuist als zou koningin Beatrix vergeleken met haar moeder meer problemen veroorzaakt hebben. Integendeel. Toen koningin Beatrix aantrad, was ze er al van overtuigd dat het staatshoofd in politiek opzicht de grootste terughoudendheid past en had ze Bagehots adagium dat de vorst op dat gebied slechts de rechten van advies, aansporing en vermaan resteren, allang verinnerlijkt.'[134] Ook de vice-voorzitter van de Raad van State mr. Tjeenk Willink benadrukt dit met klem.[135] In een interview met Volkskrant Magazine zegt oud-premier Lubbers hierover verder onder meer:

*Ik heb van haar veel steun gehad in de combinatie van no-nonsens en sociaal. Zij begreep mijn problemen met de kernwapens goed: hoe je zonder de NAVO in de steek te laten daar toch democratisch mee om moest gaan.*[136] *In de vraagstukken over abortus en euthanasie heeft ze me door de vraagstelling bevestigd in het vinden van oplossingen. Ik heb absoluut geen herinnering dat zij op belangrijke vraagstukken iets anders zag en het door probeerde te drukken.*

Ook de klachten dat de koningin bij de formatie van het paarse kabinet in 1994 een eigenzinnige rol gespeeld zou hebben, vindt Lubbers volkomen uit de lucht gegrepen. De koningin zou tijdens de kabinetsformaties altijd een volstrekt onpartijdige positie ingenomen hebben, ook toen. 'Het is staatsrechtelijk volstrekt correct gegaan. Paars is er onontkoombaar gekomen omdat er geen effectieve chemie was tussen Frits Bolkestein en Elco Brinkman en Wim Kok en Elco Brinkman.' ... 'De koningin was echt niet bezig mij te suggereren hoe het met het CDA moest gaan.'[137]

## Staatshoofd: adviseur en 'sparring partner'

De indruk bestaat dat verreweg de meeste bewindslieden het koningschap waarderen zoals het nu functioneert en dat er weinig behoefte is 'aan een koningshuis dat er voor de sier zit'.[138] De contacten met het staatshoofd worden op prijs gesteld, zo blijkt uit genoemd interview. Jan Pronk, PvdA-minister, eerst van Ontwikkelingssamenwerking en later van VROM en van wie bekend is dat hij een workaholic is, zegt: 'Je praat met iemand die zich grondig heeft voorbereid, grondiger dan ik vaak doe. Daar heb ik wel bewondering voor.' Op de vraag in welke gemoedstoestand hij Huis ten Bosch verlaat, antwoordt hij:

'Met het gevoel een spannend gesprek te hebben gehad. Met de bevrediging van een goed en lang en inhoudelijk gesprek, dat vaak beter is dan met je collega's in het kabinet. Dan heb je er de tijd niet voor, zij hebben de tijd niet voor jou en je bent altijd een beetje aan het vechten en het onderhandelen.' De oud-ministers Ritzen en De Boer, beiden PvdA, geven daarnaast ook blijk van hun waardering voor de spontaniteit en de persoonlijke belangstelling van de zijde van de koningin. Bert de Vries, CDA-minister van Sociale Zaken in het derde kabinet-Lubbers, spreekt van aanmoedigingen door de koningin, die kunnen helpen. 'Zeker voor ministers die in de put zitten.' Hij spreekt van de koningin als 'sparring partner'. In een ander interview vertelt Hedy d'Ancona, oud-minister van Welzijn, Volksgezondheid en Cultuur in het derde kabinet Lubbers, hoe ze op haar reguliere bezoek ontvangen werd door een koningin, die alle duizend pagina's van het rapport van de Raad voor de Kunsten gelezen had en op grond daarvan tal van kritische vragen stelde. De koningin noteerde vervolgens alles in haar blocnootje om er bij een volgende keer op terug te kunnen komen. Wat verschillen van inzicht betreft zegt d'Ancona: 'Voorzichtig probeer je dan de vorstin te overtuigen; het was niet zo dat we bekvechtend over het tapijt rolden.' Ze spreekt over de in haar ogen, uiteindelijk geringe invloed van de koningin op dit soort zaken en veronderstelt dat dit voor de koningin 'wel eens heel frustrerend kan zijn'.[139]

De koningin kan natuurlijk een bepaald standpunt hebben en als ze dit goed weet te beargumenteren, des te beter. Maar deze verhalen roepen allerminst het beeld op van een staatshoofd dat zo nodig de ministers onder druk zou willen zetten. Ergens sinds het midden van de jaren negentig komt dit beeld in geruchten en speculaties van tijd tot tijd via de media opduiken. Peter Rehwinkel zegt: 'Opeens heette de perfecte koningin vooral een perfectionistische koningin.'[140] Geruchten over een koningin, die zou eisen dat een ambassadeur teruggeroepen zou worden op grond van zijn privé-leven, die de vestiging van een Nederlandse ambassade in Amman zou willen afdwingen en die een guerrillastrijd zou voeren voor de handhaving van het vliegveld Valkenburg, zien ingewijden als verhalen die meer zeggen over de desbetreffende bewindslieden dan over de koningin. Wat doen zulke ministers als ze botsen met sterke ambtenaren of als ze creatieve lobbyisten tegen het lijf lopen, zijn dan de voor de hand liggende vragen. Willem Breedveld van Trouw stelt naar aanleiding hiervan: 'De ministers zijn toch verantwoordelijk? Het zijn toch geen doetjes? Als het doetjes zijn, dan verdienen ze toch geen ander lot dan voor schut te gaan?'[141]

De bronnen van dit soort geruchten en speculaties blijven meestal onduidelijk. Oud-premier Lubbers constateert dat het in elk geval om volstrekt onbenullige zaken gaat. Hij veronderstelt dat het een 'enkele minister betreft, die problemen bij het staatshoofd suggereerde, maar die zelf zijn rug niet recht kon houden, of een ministeriële woordvoerder, die het politieke straatje van zijn chef al te ijverig schoon wilde vegen'.[142] Maar over het algemeen lijken de geruchten afkomstig uit het tweede politieke en bestuurlijke echelon, namelijk van politici en ambtenaren, die juist minder frequent persoonlijk met de koningin te maken hebben. We zagen ook dat een deel van de kamerleden geleidelijk aan de gebruikelijke terughoudendheid heeft laten varen. Er werd gelekt uit de vertrouwelijke ontmoetingen met de koningin. Door de krampachtige wijze waarmee we in ons land met het begrip ministeriële verantwoordelijkheid plegen om te gaan, werd het gegeven dat de koningin er voorstander van zou zijn om de politie uit te rusten met pepperspray een nieuwsfeit van de eerste orde. Omgekeerd bleken kamerleden weer beïnvloed door speculaties in de pers. Tijdens de besprekingen over het voortbestaan van het bewuste vliegveld Valkenburg, waarover het gerucht ging dat de koningin hechtte aan handhaving ervan, was er 'in de wandelgangen sprake van een opgewonden sfeertje', zo stelt het Tweede-Kamerlid Peter Rehwinkel. 'Bij sommigen was de vereiste onbevangenheid en zakelijkheid ver te zoeken. De stemming was: we zullen die mevrouw eens een toontje lager laten zingen.' Zo'n houding getuigt natuurlijk van weinig politiek niveau en is volgens insiders volstrekt overbodig. Oud-PvdA-senator Joop van den Berg vat de meest gangbare opinie over de koningin als volgt samen: 'Ze weet heel goed wat haar rol is en ook waar en wanneer deze ophoudt. Ze kan stellig zijn, maar ze is alleszins vatbaar voor tegenspraak en gaat daar ook op in.'[143]

De koninklijke representatie in het buitenland wordt hoog aangeslagen. Niet alleen de probleemloze staatsbezoeken worden door de koningin met vaart en verve afgelegd, ook bij de staatsbezoeken die veel subtiliteit vragen, geeft de koningin blijk van een grote mate van diplomatieke behendigheid. Genoemd worden bijvoorbeeld het staatsbezoek aan de VS in 1982, toen de kwestie van de plaatsing van de kruisraketten speelde, en het bezoek aan Japan in 1991, toen er rekening gehouden moest worden met de gevoelens van de oorlogsslachtoffers. Ook het staatsbezoek in 1995 aan Israël toen de koningin een rede in de Knesset hield die veel indruk maakte, wordt nogal eens genoemd. Het Nederlandse bezoek in 1995 aan Indonesië werd geen succes omdat het Nederlandse kabinet een halfslachtige houding aannam. Binnenskamers zou prins Claus het staatsbezoek een drama genoemd hebben dat 'nooit had mogen gebeuren'.[144] Alles bij elkaar genomen is het allerminst verwonderlijk dat koningin Beatrix ook in het buitenland veel aanzien geniet. De toekenning van de prestigieuze Karel de Grote-prijs door de stad Aken in 1996 was niet alleen een blijk van waardering vanwege haar bijdrage aan de Europese eenwording maar het betekende ook een formele erkenning van het gezag dat ze inmiddels ook internationaal verworven had.

## Het 'hart van de natie'

Toen Ruud Lubbers begin jaren tachtig als premier aantrad, was Beatrix nog maar kort koningin. Het betrof twee energieke generatiegenoten, die veel affiniteit met elkaar hadden en die alle staatkundige thema's intensief doorspraken, inclusief de plaats van het koningschap in een moderne democratische samenleving. Ze waren het erover eens dat het koningschap meer omvat dan de rol van constitutioneel staatshoofd. Lubbers spreekt van een 'breed koningschap', dat wil zeggen dat de rol van het staatshoofd een verdergaande ambitie heeft dan het politieke deel.[145] In dat politieke deel zit de kwetsbaarheid en op dat terrein vindt hij daarom grote terughoudendheid gewenst. Hiervan zou ook de koningin overtuigd zijn. De betekenis van het koningschap in relatie tot het natiebesef zou daarentegen belangrijker geworden zijn. Op dit terrein zou het als het ware moeten functioneren als 'hart van de natie', of 'als hart van de samenleving'.

Uit het publieke optreden van koningin Beatrix blijkt dat ze de taakopvatting van het brede koningschap tot uitgangspunt genomen heeft, dat wil zeggen dat ze wil fungeren als 'hart van de natie'. Daarbij hoort dat ze zeer bewust tracht uitdrukking te geven aan de gevoelens die er op dramatische momenten bij het Nederlandse volk leven. Bij gebeurtenissen zoals rampen in de Bijlmer, Enschede en Volendam doet ze dit voortreffelijk en weet ze als geen ander de goede toon te treffen en het juiste gebaar te maken. Als bovenpartijdig staatshoofd spreidt ze haar aandacht zoveel mogelijk over de verschillende regio's en bevolkingsgroepen en uiteraard ook over de verschillende categorieën nieuwe

Koningin Beatrix bezoekt de plaats van de vliegramp in de Amsterdamse Bijlmer.

Nederlanders van allochtone herkomst. In haar redevoeringen pleit ze voor verdraagzaamheid en wederzijds begrip. Wat het culturele aspect aangaat, is het een aangename bijkomstigheid voor de koningin dat kunst en cultuur tot het persoonlijke belangstellingsgebied van haar en van prins Claus behoren. Het koninklijk paar volgt de ontwikkelingen met grote aandacht en toont belangstelling voor allerlei manifestaties op dat terrein, en tijdens staatsbezoeken en dergelijke tracht men zoveel mogelijk uitingen van Nederlandse kunst en cultuur in het programma op te nemen. Hoewel de koningin zelf eerst aarzelde of ze de uitnodiging ervoor zou aanvaarden, ligt ook de tentoonstelling van moderne Nederlandse kunst van na 1945, die de koningin in 2001 in het Stedelijk Museum in Amsterdam inrichtte, in deze lijn. Dat de koningin gehecht zou hebben aan een functie 'op niveau' op het gebied van de sport i.c. het IOC voor haar zoon Willem-Alexander, zou in het licht van deze visie op het koningschap niet zo verwonderlijk zijn. Zijn betrokkenheid bij een permanent nationaal aandachtsveld als het watermanagement moet zij op grond van dezelfde overwegingen eveneens ondersteund hebben. Alleen wat de behartiging van de belangen van het bedrijfsleven door de kroonprins aangaat, waarvoor minister H. Wijers van Economische Zaken en werkgeversvoorzitter J.C. Blankert midden jaren negentig pleitten, zou er nog sprake kunnen zijn van een koninklijk voorbehoud, dat voort zou vloeien uit het nog niet geheel verwerkte 'Lockheed-trauma'.

De redevoeringen die de koningin houdt, vormen een verhaal apart. De Troonrede daargelaten – omdat dit nu eenmaal een politiek stuk van het kabinet is – tracht ze hieraan zoveel mogelijk een eigen invulling te geven.[146] Ze zou geen Nederlandse koningin zijn en ze zou geen blijk geven van haar verbondenheid met de Oranjemythe als het morele element er niet sterk in zou doorklinken. Ze ziet het als haar taak als 'hart van de natie' van tijd tot tijd een moreel appel op haar medeburgers te doen. Dit klinkt door in haar kersttoespraken, maar ook in gelegenheidsredevoeringen, zoals op 5 mei 1995. In haar kerstboodschappen is er vaak aandacht voor het meer persoonlijke aspect, zoals de problemen van de gehandicapten, de zorg voor de daklozen of een thema zoals dood en rouw. Enerzijds werden deze kersttoespraken soms te weinig concreet en actueel genoemd. Anderzijds leverden ze ook vaak waardering op, zoals in 1997 toen Fons Elders, hoogleraar Theorie van de Levensbeschouwing, naar aanleiding van de kerstrede met als thema 'dood en rouw' de koningin complimenteerde met haar open benadering van het onderwerp, waarmee ze de kans benutte om 'op een persoonlijke manier de rijkdom van een multiculturele samenleving te presenteren'.[147] In de redevoeringen van koningin Beatrix zit een vaste lijn met steeds terugkerende thema's, die we eigenlijk al tegenkwamen in haar eerste grote speech als kroonprinses voor de Europese jongeren in Toulouse. Voor verdere Europese samenwerking sprak ze zich ook toen al uit, evenals voor de noodzaak van burgerzin. Hoewel ze de eerste exponent van de Nederlandse identiteit geacht kan worden, kan ze zich toch voor Europese samenwerking uitspreken omdat ze dit niet ziet als 'de totale overdracht van de nationale soevereiniteit aan een nieuwe, alles en allen omvattende staat', maar omdat het gaat 'om het scheppen van een evenwicht tussen nationale en gemeenschappelijke bevoegdheden'.[148] Ze vreest geen uniformering door het verdwijnen van de nationale identiteit die daarvan het gevolg zou kunnen zijn, omdat dezelfde naties en staten 'ook de schatkamer zijn van de veelvormige en rijke Europese cultuur'.[149] Andere thema's die terugkomen zijn: de handhaving van de vrede, de zorg om het milieu, het vraagstuk van de mondiale verdeling en een rechtvaardiger economische orde, de opdracht van de mens om de persoonlijke verantwoordelijkheid niet uit de weg te gaan. De betekenis van de gemeenschapsgedachte en de waarden en normen die mens en gemeenschap kunnen inspireren zoals verdraagzaamheid, respect en solidariteit, zijn in de loop van de jaren meermalen van verschillende zijden in haar redevoeringen belicht, evenals de zorg om de vercommercialisering van de samenleving en het gevaar dat individualisering zou overgaan in individualisme en egoïsme. Genoemde redevoering op 5 mei 1995 bracht haar veel lof. Wat het karakter ervan betreft, kwalificeert prof. Siep Stuurman het als 'een links-liberaal betoog met een sociaal-democratische ondertoon en een vleugje christelijk gemeenschapsgevoel'. Een verhaal waarin, zoals in veel van haar toespraken, aandacht is voor de gemeenschapsgedachte, voor de verhouding vrijheid en persoonlijke verantwoordelijkheid en voor de handhaving van waarden en normen, zou net zo goed communitaristisch genoemd kunnen worden naar de Amerikaanse stroming die midden jaren negentig in de VS furore maakte en die al veel eerder in Europa onder de naam personalistisch bekend was. Enerzijds kan deze invalshoek als de meest verstandige beschouwd worden voor een bovenpartijdig staatshoofd, anderzijds moet het als rode lijn die door haar verhalen loopt toch ook de essentie van haar persoonlijke opvattingen weergeven. In tegenstelling tot wat haar imago van afstandelijkheid zou veronderstellen, lijkt het er dan ook op dat koningin Beatrix zich meer blootgeeft wat haar taakopvatting en haar maatschappijvisie betreft dan de meeste van haar vorstelijke collega's.

## Gestileerd koningschap

De sterke behoefte van de koningin om het privé-leven van de koninklijke familie af te schermen gecombineerd met haar zeer professionele taakuitoefening heeft wel het gevaar in zich dat spontaniteit minder gauw een kans krijgt. Daar komt bij dat koningin Beatrix op grond van haar taakopvatting meent er goed aan te doen publiekelijk zo min mogelijk te laten blijken van haar persoonlijke opvattingen. Een voorbeeld hiervan is dat ze zelfs bij de inrichting van de expositie in het Stedelijk Museum meende dat ze geen blijk zou kunnen geven van persoonlijke statements. 'Ik vond dat ik dat, vanuit mijn positie, niet moest doen.'[150] Het Nederlandse volk vindt echter dat zoiets best kan en is nu juist geïnteresseerd in dat persoonlijke element. Alle ontmythologisering ten spijt heeft het koningschap emotioneel een andere dimensie dan het ambtelijke presidentschap. De Oranjemythe veronderstelt nu eenmaal een bijzondere band tussen de Oranjes en het Nederlandse volk. Bovendien heeft eerder geschetst verschijnsel van de 'familialisering' de belangstelling voor het persoonlijk wel en wee van de Oranjes alleen maar vergroot. De viering van de zestigste verjaardag van het staatshoofd zonder aubades bijvoorbeeld, ontmoette daarom weinig begrip. De Nederlandse bevolking weet objectief gezien dat de koningin het recht heeft hiervoor te kiezen, maar lang niet iedereen beleeft het ook zo. Een al te strikte afscherming van het privé-leven wordt bijna als een afwijzing door een familielid ervaren en heet dan ook al gauw afstandelijk.

De media hebben er rekening mee te houden dat het publiek nieuwsgierig is naar de persoon die er schuilgaat achter het instituut. Aan de andere kant is het begrijpelijk dat de koningin ervoor past in te spelen op de wensen van de schandaalpers. Bovendien weet ze maar al te goed dat de media nooit verzadigd zullen raken. Toch zijn het koningshuis en de media tot elkaar veroordeeld. Het is daarom jammer dat de Oranjes soms mediafobe trekjes vertonen. Deze gaan verder terug dan de koninklijke ontboezeming dat in de media de leugen zou regeren. Koningin Juliana kon zich tegen persmensen soms publiekelijk zeer kribbig laten gaan. Prinses Beatrix moet als klein meisje, toen ze voet op Nederlandse bodem zette en een microfoon onder haar neus gedrukt kreeg, tegen Frits Thors gezegd hebben dat ze 'van deze dingen niet hield'. Prins Willem-Alexander riep als jongetje al: 'Nederlandse pers oprotten.' Dat heeft die kleine niet van zichzelf, dacht menigeen toen. Maar daar staat tegenover dat er rond de ziekte van prins Claus steeds een voorbeeldige openheid betracht is en dat de verlovings-aankondiging van prins Willem-Alexander plaatsvond tegen de achtergrond van een ontwapenend familietafereel. De bedoelingen zijn goed, maar een consequent professioneel p.r.-beleid ontbreekt.

Overigens kan de uitoefening van het koningschap door Beatrix niet anders dan als uiterst professioneel gekwalificeerd worden. Dit slaat niet alleen op genoemde inhoudelijke aspecten van haar functie, maar ook op het daarbij behorende ceremonieel. Ze weet als geen ander dat het 'theater van de staat' zo gespeeld moet worden dat het de waardigheid van het staatshoofd en daarmee van de Nederlandse staat optimaal tot haar recht doet komen. Ze heeft zo'n specifiek eigen stijl van kleding, kapsel en hoeden ontwikkeld dat Nederlanders alleen al bij het zien van haar silhouet weten: dat is de koningin! Deze stilering en codering van de uitoefening van het koningschap heeft het gevaar in zich dat het weer een afstandelijkheid suggereert, die er in werkelijkheid niet behoeft te zijn. Tegenover het beeld van koningin Beatrix als de manager, staan immers de verhalen van haar grote betrokkenheid bij tal van onderwerpen en de veelvuldige bewijzen van haar persoonlijke aandacht voor de mensen in haar omgeving. Een koningin, die terwijl ze in De Rode Hoed met iemand in gesprek gewikkeld is in de gaten krijgt dat een Marokkaans meisje net zo dicht bij haar in de buurt tracht te komen dat haar vader haar samen met de koningin op de foto kan zetten en die daarop haar arm om het meisje slaat en haar naar zich toetrekt zodat de foto genomen kan worden, fungeert natuurlijk allerminst primair als een koele manager. Koningin Beatrix leverde het overtuigende bewijs dat het functioneren van het koningschap beslist niet behoeft te blijven steken in traditionele symboliek, maar dat het inhoudelijke er een wezenlijk bestanddeel van kan zijn en dat een koninklijk staatshoofd zeer professioneel en met een eigentijdse dynamiek te werk kan gaan.

# 9  De Prins van Oranje

## Prinsen van Oranje

Toen prins Willem-Alexander op 27 april 1967 geboren werd, was dit de eerste geboorte van een mannelijke Oranjetelg sinds 1851. In dat jaar werd namelijk prins Alexander geboren, de jongste zoon van de laatste Nederlandse koning Willem III. Deze Alexander zou de laatste Prins van Oranje worden nadat zijn broer Willem in 1879 in Parijs overleden was. Alexander zou eveneens jong overlijden zodat koning Willem III uiteindelijk opgevolgd zou worden door zijn dochtertje Wilhelmina. Sinds Nederland een koninkrijk is, draagt de vermoedelijke mannelijke troonopvolger de titel van Prins van Oranje, net zoals de Engelse troonopvolger bijvoorbeeld bekend is onder de titel Prins van Wales. Sinds de grondwetswijziging van 1983 ligt de titel niet meer grondwettelijk vast, maar kan de vermoedelijke troonopvolger bij Koninklijk Besluit de titel van Prins van Oranje verleend worden.

Het prinsdom Oranje was in de zestiende eeuw via vererving aan de grafelijke familie Van Nassau toegevallen toen de elfjarige Willem van Nassau dit vorstendom erfde van zijn neef René van Chalons. De nakomelingen van Willem van Oranje, de Vader des Vaderlands, hebben de titel in directe mannelijke lijn gedragen totdat zijn achterkleinzoon, stadhouder-koning Willem III, in 1702 kinderloos overleed. De titel ging toen over naar Johan Willem Friso van Nassau, de Friese stadhouder, die via een dochter van Frederik Hendrik, Albertine Agnes, afstamde van Willem van Oranje. Omdat de Pruisische koningen afstamden van Louise Henriëtte, een oudere dochter van Frederik-Hendrik, en op grond van een ouder testament ook rechten konden doen gelden, ontstond er een slepende erfeniskwestie. Uiteindelijk werd pas in 1732 overeengekomen dat zowel de Friese Nassaus als de Pruisische Hohenzollerns recht op de titel Prins van Oranje hadden. Zo kon het gebeuren dat er sindsdien twee prinsen van Oranje waren, namelijk de Pruisische koningen en later de Duitse keizers als hoofd van het Huis Hohenzollern en de Nederlandse stadhouders Willem IV en Willem V en later dus de Nederlandse troonopvolgers. Ook nu zijn er nog twee Prinsen van Oranje. Behalve Willem-Alexander heeft ook de Duitse prins Georg Friedrich von Hohenzollern het recht zich Prins van Oranje te noemen.

De koningen Willem II en Willem III waren als prinsen van Oranje nog opgeleid voor een meer autoritaire uitoefening van het koningschap en Willem III had, zoals we zagen, na 1848 grote moeite zijn bescheidener positie te aanvaarden. Mede daardoor verliep het koningschap van Willem III erg teleurstellend. De koninginnen die Nederland in de twintigste eeuw regeerden, hebben het parlementaire stelsel wel geaccepteerd en konden daardoor hun functie naar tevredenheid uitoefenen. Hoewel sommigen, onder wie J.L. Heldring, columnist van NRC Handelsblad, en Gijs van der Wiel, een vroegere hoofddirecteur van de RVD, het tegendeel veronderstellen, is er geen reden om aan te nemen dat een koning omdat hij man is, in principe minder gauw geaccepteerd zou worden in een parlementaire democratie dan een koningin.[151] In de ons omringende koninkrijken zijn immers genoeg vorsten bekend die alom gewaardeerd zijn. Het gaat er alleen om of Willem-Alexander net als zijn directe voorgangsters die houding weet te vinden, die zijn tijd van hem vraagt. In elk geval is deze mannelijke troonopvolger de eerste Prins van Oranje, die er grondig op voorbereid is om te functioneren als staatshoofd in een moderne democratische samenleving.

# De jeugd van Willem-Alexander

De eerste kinderjaren bracht prins Willem-Alexander met zijn ouders en zijn broers Johan Friso en Constantijn door op kasteel Drakestein. Het moet de meest onbezorgde periode in hun leven geweest zijn. Zijn ouders waren in die jaren volop bezig met de voorbereiding op hun toekomstige taak en met de nadere oriëntatie van prins Claus. Na de kleuterschool ging Willem-Alexander voor het basisonderwijs naar de Nieuwe Baarnse School. Na een korte periode op het Baarns Lyceum volgde, toen zijn moeder koningin geworden was, de overstap naar het Eerste VCL (vrijzinnig christelijke lyceum) in Den Haag door de verhuizing van Drakestein naar paleis Huis ten Bosch. Waarom de koninklijke familie voor deze school gekozen heeft, is niet echt duidelijk, maar het sluit wel aan bij het feit dat koningin Beatrix indertijd belijdenis gedaan had bij de vrijzinnige predikant dominee H.J. Kater. Het was de bedoeling van de ouders dat Willem-Alexander net zo als de andere kinderen behandeld zou worden en zijn ouders hielden hem wat de media aangaat ook nog zoveel mogelijk in de luwte. Natuurlijk brachten zijn afkomst en verschijnselen zoals de aanwezigheid van bewakers hem toch al in een uitzonderingspositie. Daar komt nog bij dat gedurende deze schoolperiode de Lockheed-affaire nog lang naklonk, zijn ouders erg druk bezet waren en uiteindelijk zijn vader, prins Claus, op grond van depressieve klachten opgenomen zou worden. Willem-Alexander, die met zijn vader altijd een warme persoonlijke band gehad heeft, had het hier erg moeilijk mee. In die tijd stak hij niet goed in zijn vel. De schoolprestaties waren er dan ook naar en er was sprake van gedragsproblemen. Uiteindelijk besloten zijn ouders hem naar een kostschool in Zuid-Wales te sturen, het Atlantic College. Hier zou hij later van zeggen: 'Ik vond mijzelf niet lastig. En mijn ouders vonden zichzelf niet lastig. Maar elkaar vonden we wel lastig.'[152] De school, met zo'n 350 leerlingen uit 53 landen, leidde op voor het internationale baccalaureaat. Er werd daarbij uitgegaan van een degelijk gestructureerde onderwijskundige opzet en de leerlingen kregen te maken met een intensief sportprogramma. De sociale vorming kwam onder meer tot uitdrukking in de 'services'. Voor Willem-Alexander betekende dit bijvoorbeeld dat hij zwem- en kanolessen aan blinde kinderen gaf en wekelijks een eenzame oude dame bezocht. Met dat aspect van zijn opvoeding kon hij geen problemen hebben omdat hij zich altijd sterk in zijn omgeving en in zijn medemensen geïnteresseerd heeft getoond. Hij kon

Willem-Alexander en zijn vader prins Claus.

De jeugdige prins van Oranje wordt geïnstalleerd als lid van de Raad van State in aanwezigheid van zijn ouders.

op dit instituut zijn draai wel vinden en hij werd door zijn medescholieren gewaardeerd om zijn sterk ontwikkeld gevoel voor humor.

In 1985 behaalde de prins zijn diploma voor het internationale baccalaureaat. Hij was nu achttien jaar, de leeftijd waarop hij volgens de grondwet geacht werd zijn moeder als staatshoofd te kunnen opvolgen. Volgens de traditie werd hij op deze leeftijd door zijn moeder geïntroduceerd in de Raad van State. Er verscheen bij de staatsdrukkerij nu een boekje over Willem-Alexander van de hand van de bekende columniste Renate Rubinstein, in de roerige jaren zestig eens actievoerder tegen het huwelijk van Beatrix en Claus. Het boekje schetst het beeld van een sympathieke, open jongen, wat onzeker en die uiteraard nog allerminst af is. Deze indruk, gecombineerd met zijn jongensachtige verschijning bij zijn introductie in de Raad van State, tonen overtuigend aan dat artikel 33 van de grondwet simpelweg een dom artikel is. Het bepaalt namelijk dat de koning al op achttienjarige leeftijd de troon kan bestijgen. Koningin Juliana zou het liefst gezien hebben dat dit 25 jaar geworden was, maar zelfs het voorstel van het kabinet-Van Agt in 1980 om van die grondwettelijke leeftijd 21 jaar te maken, haalde het toen niet in de Kamer.[153] Toen Willem-Alexander 18 jaar werd moest hij met de voorbereiding op zijn latere taak logischerwijze nog beginnen.

## De opleiding van een kroonprins

Als bezwaar tegen het erfelijk karakter van het koningschap wordt wel aangevoerd dat men nooit van tevoren zeker kan zijn van de kwaliteiten van de troonopvolger. Daar staat tegenover dat deze erfelijkheid het voordeel heeft dat het staatshoofd uitgebreid op zijn taak kan worden voorbereid en dat het beginsel van de ministeriële verantwoordelijkheid eventuele risico's tenslotte ook nog eens redelijk afdekt. De voorbereiding op zijn latere functie is hoe dan ook de voornaamste bezigheid van de troonopvolger en deze voorbereiding heeft het karakter van een 'education permanente'. Een universitaire studie met een enigszins aangepast programma vormt als het ware de basisopleiding ervan. Zowel het instructieve als het vormende element kwamen beide in zijn opvoeding uitgebreid aan de orde. In aansluiting op de universiteit is gekozen voor een meer specifiek programma dat een politieke, een bestuurlijke en een maatschappelijke oriëntatie inhield. In ons land kan inmiddels voortgebouwd worden op de ervaring die opgedaan is bij de opleiding van Wilhelmina, Juliana en Beatrix. Uiteraard zijn daarbij steeds weer aanpassingen nodig, en persoonlijke belangstellingsgebieden worden zoveel mogelijk in het geheel van de opleiding geïntegreerd. [154]

Voordat prins Willem-Alexander met zijn eigenlijke studie kon beginnen, moest hij zijn dienstplicht vervullen. Hij had intussen zijn rijbewijs en het brevet Privé-vlieger tweede klasse al gehaald. In augustus 1985 trad hij in dienst bij de Koninklijke Marine. Eerst volgde hij de opleiding bij het Koninklijk Instituut voor de Marine in Den Helder en vervolgens diende hij op Hr.Ms. Tromp en Hr.Ms. Abraham Crijnssen. De sfeer bij de marineopleiding vond hij veel te schools. Dat beviel hem allerminst. Hij zou later de vergelijking maken met een kleuterschool. [155] De opleiding was er onder meer op gericht om de kroonprins via een speciaal programma inzicht te geven in de totaliteit van de Marine. Na zijn afzwaaien in 1987 zou de prins het contact met de Marine blijven houden en hij oriënteerde zich eveneens bij de Landmacht en de Luchtmacht via de colleges die hij volgde aan het Instituut Defensie Leergangen in Rijswijk. In de zomer van 1987 behaalde Willem-Alexander het vliegbewijs B-3 en in 1989 het beroepsbrevet. Het vliegwezen is duidelijk een van zijn persoonlijke aandachtsgebieden, om niet te zeggen zijn grote passie. Als 'Alex van Leerdam' maakte hij de benodigde vlieguren, met name bij Martin Air en ook wel bij de KLM. We mogen aannemen dat als hij geen troonopvolger geweest zou zijn, de prins gekozen zou hebben voor een carrière als verkeersvlieger.

Zoals gesteld begon zijn 'basisopleiding' tot staatshoofd dus eigenlijk pas met zijn universitaire studie. In de lijn van de Oranjetraditie ging de Prins van Oranje studeren in Leiden, hoewel hij zelf de voorkeur gegeven zou hebben aan Amsterdam. Hij vestigde zich in de nazomer van 1987, net als zijn moeder indertijd, in een pand aan het Rapenburg. Zijn studiebegeleider in die jaren was drs. G.J. Meijer. Als studierichting koos de prins geschiedenis. Als we zien dat deze studierichting door zijn brede opzet een geschikte vooropleiding blijkt te zijn voor functies in zeer verschillende maatschappelijke sectoren waaronder de politiek, de cultuur en de journalistiek, dan lijkt het ook voor een toekomstig staatshoofd geen gekke keus. Na zijn propedeuse verdiepte hij zich in de algemene en vaderlandse geschiedenis en verder in staatkunde en staatsrecht, in het recht van de Europese gemeenschappen, in volkenrecht en in economie. Indien er in verband met zijn toekomstige functie extra specialisaties noodzakelijk geacht werden, volgde hij privé-lessen bij hoogleraren die op desbetreffend gebied gespecialiseerd waren. Zo kreeg hij onder meer colleges over de internationale betrekkingen van prof. P.H. Kooijmans, staatssecretaris en later minister van Buitenlandse Zaken, en over de parlementaire geschiedenis van prof. N. Cramer. Bij prof. J.Th.J. van den Berg, die tegenwoordig tevens hoofddirecteur is van de Vereniging voor Nederlandse Gemeenten, volgde hij de colleges staatsrecht en staatkunde. Bij het schrijven van zijn afstudeerscriptie werd hij begeleid door prof. H.L. Wesseling, die een deskundige bij uitstek is op het gebied van de Frans-Nederlandse betrekkingen. Deze scriptie zou dan ook gaan over: 'De reactie van Nederland op het besluit van Frankrijk, aangevoerd door president De Gaulle, om uit de NAVO te treden.' Als waardering kreeg de prins er de vermelding 'met genoegen' voor, wat erop neerkomt, dat het om een redelijk werkstuk ging.

Na zijn afstuderen in 1993 volgde nu de meer specifieke en praktijkgerichte oriëntatie op zijn toekomstige taak. Met name mr. H.D. Tjeenk Willink en mr. J.W. Leeuwenburg hebben daarin een belangrijke bijdrage geleverd. Zij coördineerden de voorbereiding van Willem-Alexander op het koningschap. Gelet op zijn functie als vice-voorzitter van de Raad van State is het niet verwonderlijk dat mr. Tjeenk Willink een voorname rol speelde bij de bestuurlijke en maatschappelijke oriëntatie van Willem-Alexander. Hem werd gevraagd een opzet te maken voor een opleidingsprogramma voor de kroonprins. Hij kwam met een voorstel dat een themagerichte aanpak inhield, bijvoorbeeld: 'De rechtshandhaving', 'Hoe werkt Den Haag?' 'Allochtonenbeleid' enz. In zijn benadering van de onderwerpen ging de aandacht niet alleen uit naar het beleidsmatige aspect maar ook naar de uitvoering en de contacten daarbij op de werkvloer, liefst zoveel mogelijk met generatiegenoten. Mr. Leeuwenburg, als hoofd crisisbeheersing en rampenbestrijding, een van het ministerie van Binnenlandse Zaken afkomstige D66'er, werd de particulier secretaris van de kroonprins. Hij ontwikkelde het programma verder. Er was zonder meer sprake van een grondig en breed opgezet kennismakingsprogramma met de Nederlandse samenleving voor de prins. Briefings door deskundigen werden georganiseerd en overal waar de prins kwam, was hij dankzij zijn secretaris mr. Leeuwenburg uitstekend van tevoren geïnformeerd. Voor het specifieke werk in de Raad van State werd hij begeleid door twee staatsraden, Rein Jan Hoekstra (CDA) en Claire Ligtelijn van

Bilderbeek (PvdA). Het programma omvatte behalve de gebruikelijke werkbezoeken aan provincies en gemeenten zowel informatieve bezoeken als stages. Willem-Alexander liep bijvoorbeeld stage bij de rechterlijke macht en bij de sociale advocatuur en hij maakte in het kader van zijn kennismaking met de politie zelfs huiszoekingen mee. Verder bezocht hij onder meer een tehuis voor daklozen. Er zat in dat programma enorm veel variatie. Zowel het bedrijfsleven, waaronder de KLM, Wolters Kluwer en Philips, als de leefsituatie van verschillende groepen allochtonen was in het programma opgenomen. De prins volgde een stage bij het ministerie van Verkeer en Waterstaat om het functioneren van de overheid ook in de praktijk te leren kennen. In dit kader oriënteerde hij zich eveneens op Algemene Zaken en bij de Nederlandse Permanente Vertegenwoordiging bij de Europese Unie in Brussel. Uniek was het feit dat de kroonprins de wekelijkse vergadering van de ministerraad een keer bijwoonde. Van vormende betekenis waren uiteraard de ontmoetingen met de vele buitenlandse bezoekers en de vele buitenlandse reizen die de prins maakte. Een bezoek aan Nederlandse bedrijven in het buitenland werd steeds zoveel mogelijk in het reisschema opgenomen. Belangrijk waren voor hem de reizen die hij samen met zijn vader maakte naar achtereenvolgens India, Indonesië en Tanzania. Prins Claus zou hem gedurende die reizen overtuigd hebben van de betekenis van ontwikkelingssamenwerking. Reisgenoten in het prinselijk gezelschap zeiden dat ze tijdens de reis naar Tanzania getroffen waren door de goede onderlinge band die vader en zoon bleken te hebben. Vermeldenswaard is ook de cursus die de prins in 1997 volgde aan de J.L. Kellog Graduate School of Management van de Northwestern University in Chigago. Over de opzet van het programma zegt mr. Tjeenk Willink: 'Ik heb gezegd: "U moet nu doen wat u later niet meer kan doen, verder is het zaak zoveel mogelijk leeftijdgenoten te ontmoeten en zoveel mogelijk te ondernemen op het uitvoerend vlak."' [156]

## 'Ik ben die ik ben: Willem-Alexander'

In zijn schooltijd, maar ook nog als student, werd de prins enorm afgeschermd van de media en verscheen hij relatief weinig in publiek. Ook zijn studieresultaten werden geheim gehouden en zelfs zijn afstudeerscriptie kwam niet ter inzage. In ons land werd er wat dat aangaat een ander beleid gevolgd dan in Spanje, waar

Elfstedentocht 1986, de kroonprins neemt als W.A. van Buren aan de toertocht deel.

iedereen kennis kon nemen van de studieresultaten van kroonprins Felipe en waar de afscherming ook aanmerkelijk minder ver ging.[157] Deze Spaanse prins wist daardoor al vroeg op een natuurlijke manier met de media om te gaan. Een bijkomend voordeel van zo'n moderner p.r.-beleid is ook dat het achterdochtige en onwelwillende critici moeilijker gemaakt wordt om met het prinselijk imago aan de haal te gaan. In een situatie waarin een lid van de koninklijke familie door afscherming een onbeschreven blad is, is daar eigenlijk weinig tegen te doen. Daar komt nog bij dat Willem-Alexander een langzame starter was. Hoewel er vier jaar voor de studie geschiedenis stond, deed hij er zes jaar over. Als excuus hiervoor zou zeker aangevoerd kunnen worden dat de prins voor verplichtingen nogal eens uit zijn studie gehaald werd, maar het valt niet te ontkennen dat hij zich de pleziertjes van het studentenleven graag liet smaken. Vooral in de eerste fase van zijn studententijd stortte hij zich met enthousiasme in het Leidse kroegleven. Het weekblad Panorama bracht eens een smeuïg verslag van een vergeefse zoektocht naar de prins in de collegezalen waar hij in verband met zijn studieprogramma aangetroffen zou moeten worden. In het café werd hij wél gevonden. Dit soort verhalen, gecombineerd met het gegeven dat zijn nogal gezette figuur uit die jaren aan veelvuldig bierverbruik toegeschreven werd, leverde hem bijnamen zoals 'Prins Pils' en 'de Kroonkurk' op. Van de zijde van zijn vroegere leraren wordt nadrukkelijk gesteld dat hij in geen enkel opzicht iets weg had van de traditionele rechtse corpsbal en dat er van een excessieve bierconsumptie evenmin sprake geweest is. Het grote publiek wist van de prins dat hij erg veel van sport hield: paardrijden, skiën, diepzeeduiken en dan waren er natuurlijk nog de verhalen over zijn liefde voor snelle auto's inclusief enkele ongevallen en de roddels over mooie, meestal blonde en niet-adellijke schonen van wie de prins gecharmeerd zou zijn. Men waardeerde echter zijn goedlachse voorkomen evenals zijn liefde voor de sport. Bovendien had hij in de loop van de jaren getoond in sportief opzicht een behoorlijke doorzetter te zijn. Zo reed hij, toen hij nog bij de Marine was, als W.A. van Buren de Elfstedentocht uit, hij liep de Marathon van New York in 1992 en later maakte hij een grote voettocht door de Himalaya. Zijn activiteiten voor Flying Doctors vormden voor het publiek het bewijs dat hij het hart in elk geval op de goede plaats had. De meer sceptisch ingestelden gaven van tijd tot tijd uiting aan hun twijfels over de geestelijke bagage van de prins. Nu is scepsis met betrekking tot de troonopvolger niets bijzonders in ons land, want toen Juliana kroonprinses was, twijfelden velen eraan of ze haar sterke moeder wel zou kunnen opvolgen en PvdA-leider drs. Nederhorst had indertijd zijn twijfels over Beatrix als troonopvolgster zoals we zagen zelfs op schrift gesteld. Maar toegegeven moet worden dat Willem-Alexander lang, inhoudelijk gezien, te weinig profiel had. Alleen incidenteel werd daarover wel eens wat meer bekend. Wat de intellectuele belangstelling van de prins betreft had prof. Wesseling in een interview bijvoorbeeld gezegd: 'Willem-Alexander heeft een goed stel hersens, maar hij heeft geen diepgaande intellectuele belangstelling. Hij is meer een doemens dan een studeerkamergeleerde.'[158] Aanvankelijk werd dit negatief uitgelegd. Evenals professor Van den Berg wees Wesseling op de uitstekende sociale vaardigheden van de prins. Na zijn afstuderen vond men de tijd gekomen om hem te laten interviewen door de NOS-televisie. Directeur Ed van Westerloo zelf was de interviewer. Willem-Alexander was erop voorbereid via een mediatraining met Willem Bemboom. Desondanks maakte hij een wat faalangstige indruk en kwam hij als persoon nog weinig uit de verf. Er bleven slechts een paar opmerkingen hangen. Zo sprak hij zich uit voor de dienstplicht en tegen samenwonen en hij zei aan een inhoudelijk koningschap de voorkeur te geven. In 1992 ging door ingrijpen van hogerhand een interview op de Antillen met de KRO-televisie helaas niet door en enige jaren later een interview met NRC Handelsblad evenmin. Wat het imago van Willem-Alexander betreft, bleef dit vooralsnog ambivalent. Wat zijn persoonlijkheid aangaat, wist men nog steeds te weinig van hem. De roddelbladen suggereerden dat hij zich wat zijn liefdesleven betreft, liet koeioneren door zijn moeder. Zijn wel erg enthousiaste ondersteuning van de Nederlandse sporters tijdens de Olympische spelen in 1996 in Atlanta werd volgens het NIPO door het grote publiek op prijs gesteld, maar elders, bijvoorbeeld binnen de Amsterdamse grachtengordel, ontlokte het nogal wat badinerend commentaar.

Inmiddels lijkt het erop dat er aanvankelijk sprake geweest is van een zekere onderschatting van Willem-Alexander als troonopvolger. Behalve aan genoemde traditionele scepsis ten aanzien van troonopvolgers lag dit voor een deel aan zijn trage start, waardoor de vergelijking met zijn professionele moeder extra nadelig voor hem moest uitvallen. Maar een belangrijke oorzaak is gelegen in een onderontwikkeld p.r.-beleid. De afscherming in zijn jeugd gaf hem wel meer ruimte om wat langer zichzelf te zijn en de basis te leggen voor hechte vriendschappen, maar het maakte hem ook te kwetsbaar en het heeft zijn imago aanvankelijk geen goed gedaan. Geleidelijk aan kwam daarin verandering. In 1997, ter gelegenheid van de dertigste verjaardag van prins Willem-Alexander, verschenen er tal van artikelen over hem en volgde er weer een tv-interview. In verschillende van deze artikelen kwamen nu ook zijn meer serieuze kanten aan de orde. In Trouw werd bijvoorbeeld aandacht besteed aan de levensbeschouwelijke ontwikkeling van de kroonprins. Hier en daar had men wel eens geconstateerd dat hij nog niet zoals eerdere Oranjevorsten geloofsbelijdenis gedaan had. Als reden daarvoor werd wel gesteld dat de interesse in levensbeschouwelijke kwesties bij hem niet erg groot zou zijn. Maar de prins bleek al geruime tijd te participeren in een gespreksgroep van vrienden 'de Bende van Twaalf', een soort levensbeschouwelijke denktank, die eens per maand bijeenkwam onder leiding van de Haagse hervormde predikant dominee C.A. ter Linden. Op deze bijeenkomsten werd niet alleen gesproken over vragen over leven en dood en andere religieuze onderwerpen die het persoonlijke leven raken, maar ook sociaal-economische kwesties en allerlei maatschappelijke vraagstukken kwamen er openhartig en diepgaand aan de orde. Inleiders van diverse pluimage werden voor deze bijeenkomsten uitgenodigd zoals de remonstrantse econoom prof. H.M. de Lange, bisschop Bär en rabbijn A. Soetendorp. Volgens zijn omgeving moeten zijn deelname aan deze gespreksgroep en niet te vergeten de vele persoonlijke gesprekken met zijn vader, van grote betekenis geweest zijn voor de persoonlijke bewustwording van Willem-Alexander. Uiteindelijk had dit als consequentie dat hij 'na een langdurig proces van leren en zoeken', aldus de tekst van de RVD, op Palmzondag 23 maart 1997, aan de vooravond van zijn dertigste verjaardag, bevestigd werd als lidmaat van de Nederlandse Hervormde Kerk. [159]

De interviewer voor het tv-programma naar aanleiding van zijn dertigste verjaardag was de routinier Paul Witteman. De prins kreeg nu aanmerkelijk meer profiel. Hij bleek uitstekend op de hoogte te zijn van de onderwerpen die aangekaart werden en ondanks enige merkbare nervositeit en nog steeds grote voorzichtigheid, reageerde hij van tijd tot tijd zeer gevat. Hij verdedigde zijn deelname aan de jacht, hij zei nog geen trouwplannen te hebben, maar hij sloot niet uit dat hij desnoods af zou zien van het koningschap als de Staten-Generaal zijn huwelijk niet zouden goedkeuren. Hij verraste iedereen met zijn mededeling dat hij zich in de toekomst bezig wilde houden met 'watermanagement' en hoewel niemand nog wist wat men zich daar precies bij moest voorstellen, wekte het wel nieuwsgierigheid op. Zijn vader prins Claus had hem op het idee gebracht om zich op dit oer-Nederlandse terrein te specialiseren. Belangrijk was tevens dat hij voor zijn toekomstige taak het koningschap van zijn grootmoeder Juliana als inspirerend voorbeeld noemde. Hiermee werd onder meer de vermeende dominantie van zijn moeder gerelativeerd. Zijn opmerking 'Ik heb geen mannetjesmakers nodig. Ik ben die ik ben: Willem-Alexander' was weliswaar geen teken van een scherpzinnig inzicht in de betekenis van een modern p.r.-beleid, maar er sprak wel een toegenomen zelfvertrouwen uit.

De commentaren op genoemd tv-interview waren overwegend positief en van twijfel over zijn geschiktheid werd sindsdien steeds minder gehoord. Daar kwam bij dat er journalisten waren die Willem-Alexander op buitenlandse reizen meemaakten en daarover verslag uitbrachten. Anderen informeerden eens bij ambtenaren op de ministeries of bij leden van de Raad van State welke indruk de prins op hen maakte. In beide gevallen kwamen er positieve tot zeer positieve berichten. Tijdens de reizen maakte men een kroonprins mee, die zich altijd ontspannen onder de mensen beweegt en gemakkelijk een praatje aanknoopt. Hij toont gevoel voor humor, hij kan zichzelf en zijn positie relativeren, hij houdt niet van al te veel formeel gedoe en hij is uiterst geïnteresseerd in zijn omgeving. Zoals bij alle Oranjes vallen ook bij hem zijn talenkennis en zijn goede geheugen op. In de Raad van State waardeert men zijn 'buitengewoon goede gezonde verstand', zijn gevatheid, zijn politieke feeling en zijn inzicht op het gebied van de wetgeving. Men heeft er vertrouwen in dat 'hij het goed zal doen'. Harry van Wijnen concludeerde dan ook dat het koningschap zich voor Willem-Alexander wel eens natuurlijker zou kunnen ontwikkelen dan vaak gezegd is, omdat hem alom de eigenschappen van gematigdheid en bescheidenheid worden toegeschreven.[160] NRC Handelsblad-columnist J.L. Heldring constateerde later over de kroonprins dat hij zich 'begint te ontplooien tot een man met een gezag dat hij niet uitsluitend aan zijn positie ontleent'.[161] Zijn publieke optreden onder meer bij recente buitenlandse reizen, tijdens het Tweede Wereld Water Forum, op de vergadering van het IOC en zelfs tijdens de Olympische Spelen in Sydney hebben dit beeld nog versterkt. Het AD kopte: 'Een koning ontluikt in Sydney.'

## Máxima

Ondanks beweringen dat de belangstelling voor het koningshuis zou terug-lopen, vormen de resultaten van opiniepeilingen en de grote opwinding die gebeurtenissen rond het Oranjehuis kunnen oproepen het duidelijkst bewijs van het tegendeel. Willem-Alexander, die in principe als eerste de toekomst van Oranje verpersoonlijkt, was inmiddels tweemaal het middelpunt van dergelijke opwinding. De eerste keer ging het om zijn benoeming tot lid van het IOC. Zoals eerder gesteld, betekent de accentverlegging van de staat en de politiek naar het natiebesef voor het koningschap dat de leden van het Koninklijk Huis zich nog meer zullen richten op datgene wat de natie beweegt en wat de iden-titeit ervan zou kunnen bepalen, inclusief de sport. In deze optiek komt een topfunctie bij het IOC, die bovendien nauw aansluit bij de persoonlijke belang-stelling van de prins, uiteraard mooi van pas. Aanvankelijk was hiertegen veel verzet, vanwege de corruptieverhalen over het IOC-bestuur. Nadat het IOC stappen tot zelfreiniging gezet had, was het voor Willem-Alexander niet voor de hand liggend de functie zo maar te laten schieten. Als bij voorbaat aangenomen zou moeten worden dat hij, inmiddels als dertiger, niet bestand zou zijn tegen de risico's die deze IOC-functie ontegenzeglijk met zich brengt, dan zou hij ook beter meteen maar kunnen afzien van de functie van staatshoofd. Het kabinet is er in principe voor verantwoordelijk dat risico's zoveel mogelijk beperkt wor-den. Maar dat wil niet zeggen dat het verstandig zou zijn elk risico dat de leden van het Koninklijk Huis zouden kunnen lopen koste wat kost uit te sluiten. Op die manier zou het koningschap gereduceerd worden tot een soort nationale vlaggenstok.

De andere, veel grotere opwinding betrof de geruchten voorafgaand aan de verloving van de prins met de Argentijnse Máxima Zorreguieta. Máxima, geboren op 17 mei 1971, groeide op in Buenos Aires. Hier behaalde ze ook haar vwo-diploma aan het prestigieuze tweetalige (Engels/Spaans) Northlands College. Aansluitend studeerde ze economie aan de katholieke universiteit van Argentinië. Tijdens haar studie gaf ze les in Engels en wiskunde. Willem-Alexander en Máxima leerden elkaar kennen in maart 1999 in Sevilla. Máxima woonde in die tijd in New York, waar ze werkte voor de Deutsche Bank. Maar behalve dat ze katholiek was en niet van adel, bleek ze de dochter te zijn van

**Boven:** Máxima Zorreguieta wordt officieel voorgesteld.
**Onder:** Een nadere kennismaking met de pers in de Keukenhof.

Jorge Zorreguieta, een vroegere staatssecretaris van Landbouw ten tijde van het beruchte Argentijnse Videla-regime.

De keuze van een Oranje voor een partner met zo'n achtergrond houdt natuurlijk niet direct een bevestiging van de Oranjemythe in. Opwinding was dus voorspelbaar. Ook de koninklijke ouders bleken aanvankelijk allerminst gelukkig met de keus van hun zoon. De media leverden bijna dagelijks nieuwe berichten en daarop weer nieuwe commentaren. Sommige politici werden nerveus en trachtten de regering tot een stellingname te verleiden, voordat er zelfs nog sprake was van een officiële verloving. De aanloop tot de verloving duurde erg lang. Er verschenen artikelen waarin geconstateerd werd dat premier Kok geen affiniteit met dit onderwerp zou hebben. CDA-leider De Hoop Scheffer verweet Kok dat hij de regie niet in de hand had en Harry van Wijnen vond zelfs dat de premier behoorlijk zat te slapen. [162] Prins Willem-Alexander leek uiterlijk de rust zelf. Maar één keer, in maart 2001 toen hij een bezoek bracht aan New York, liet hij zich overhalen in te gaan op vragen van de pers, die in grote drommen was meegereisd. De prins beging toen de vergissing om te verwijzen naar een tekst die, naar later bleek, van Videla zelf afkomstig was. Nog groter opwinding was het resultaat, maar over het algemeen werd het gebeurde als een incident afgedaan. Ook menig journalist vond dat de prins wel erg lang onder zware druk had gestaan. De RVD, die had kunnen weten dat de pers erop gebrand zou zijn om de prins uit zijn tent te lokken, had overigens nagelaten hem op passend niveau in New York te laten begeleiden. Het zal met de mediastilte te maken hebben gehad, die premier Kok rond het onderwerp 'verloving' had afgekondigd, dat over deze RVD-misser in de Kamer geen vragen werden gesteld.

In die tussentijd had premier Kok oud-minister Van der Stoel verzocht te trachten de heer Zorreguieta ervan te overtuigen dat hij er terwille van een goede ontvangst van zijn dochter in de Nederlandse samenleving beter aan zou doen de verlovings- en huwelijksplechtigheden niet bij te wonen. Bij dit overtuigen van de heer Zorreguieta zouden kroonprins Willem-Alexander en vooral Máxima een sleutelrol gespeeld hebben. Wat Máxima aangaat, stellen insiders: 'Ze kan met rake opmerkingen uit de hoek komen. Ze heeft snel een goed politiek gevoel ontwikkeld'. [163] Haar eerste publieke optreden bij de aankondiging van de verloving was zonder meer een geweldige binnenkomer. Ze wist al in zeer goed Nederlands, op overtuigende wijze, duidelijk te maken dat ze de rechtstaat en de democratie was toegedaan, zonder dat ze daarbij afbreuk deed aan haar gevoelens voor haar vader. Ze bleek bovendien in staat tot een intelligente en openhartige communicatie met de media. Latijnse charme en temperament aan het Nederlandse hof, het lijkt erop dat Oranje er een zeer mediagenieke troef bij heeft gekregen. Ondanks het voorafgaande spektakel in de pers en onder politici reageerde het publiek enthousiast op de verlovingsaankondiging. Volgens opiniepeilingen ging 93 procent ermee akkoord, een percentage dat doet denken aan de Sowjet Unie van weleer. Vanuit het verschijnsel van de 'familialisering' gezien, zouden we kunnen zeggen dat voor de Nederlanders een dierbaar familielid eindelijk de ware geliefde ontmoet had. Een krantenkop maakte melding van 'Oppepper voor de monarchie'.

# 10 Het koningschap als democratisch instrument

## 'Un marriage si intime'

Sinds 1922 is er in het parlement geen principieel debat meer gehouden over de grondslagen van het Nederlandse koningschap. Dat is jammer, want het onderwerp is het zeker waard. Als zo'n fundamentele discussie zich met enige regelmaat wel voorgedaan zou hebben, zou onze moralistische humorist Freek de Jonge bijvoorbeeld in zijn oudejaarsconference van 2000 waarschijnlijk niet zo hard geroepen hebben dat de Oranjes vooral moeten beseffen dat ze in de huidige democratische samenleving nog slechts gedoogd worden. Want al zullen er weinig mensen zijn die het belang van het democratische principe niet van harte zouden willen onderschrijven, dan wil dat nog niet zeggen dat iedereen een even enghartige uitleg van dit principe voor ogen staat. Bovendien is het ook niet het enige principe dat aan de inrichting van de staat ten grondslag ligt. Te denken valt aan de scheiding van machten, de eenheid en de continuïteit van de staat en in verband met het laatste ook de betekenis van historisch gegroeide verhoudingen. En er zijn verder nog andere functies dan het koningschap waarvan de democratische legitimatie eveneens zwak is, zoals het lidmaatschap van de rechterlijke macht, van de Raad van State en van de Algemene Rekenkamer en ambtenaren worden in ons land evenmin verkozen. Toch benutten we de inbreng van deze functies graag.[164] Hoewel het koningschap dus niet uit de democratische doctrine is voortgekomen, zou er omdat opiniepeilingen aangeven dat de meerderheid van de bevolking zeer gehecht is aan het koningschap en een parlementaire meerderheid dit instituut eveneens waardeert, toch gesproken kunnen worden van een afgeleide, of indirecte democratische legitimatie. Dit is uiteraard geen enkele reden om in deze tijd koninklijke macht nog te kunnen of te willen rechtvaardigen. Maar het is voldoende overtuigend om met het begrip gedogen geen genoegen te nemen en van tijd tot tijd na te gaan welke zinnige invulling van het koningschap er mogelijk is, die past bij het specifieke karakter van dit instituut en die inspeelt op nieuwe ontwikkelingen in de samenleving.

De suggesties voor modernisering van het koningschap die D66-voorman Thom de Graaf in het voorjaar van 2000 deed, leverden evenwel een weinig fundamentele discussie op. Misschien kwam dit doordat de staatsrechtelijke aanpassingen die hij voorstelde niet leken voort te vloeien uit een samenhangende visie op het koningschap. Kees Lunshof, de parlementaire commentator in De Telegraaf, sprak niet ten onrechte van een gebrekkige argumentatie.[164a] Maar ook in de reacties in de Kamer werd er nauwelijks ingegaan op de meer inhoudelijke opmerkingen van de Raad van State over de betekenis van het koningschap en over het functioneren van de ministeriële verantwoordelijkheid.[165] De Graaf vond dat de koningin geen rol meer zou moeten spelen bij de kabinetsformatie, dat ze geen deel meer zou moeten uitmaken van de regering zodat ook haar handtekening bij wetgeving en benoemingen niet meer nodig zou zijn. Verder meende hij dat ze geen voorzitter meer zou moeten zijn van de Raad van State en dat het aantal leden van het koningshuis zou moeten worden ingekrompen. Zoals alles wat zou kunnen raken aan de positie van het Oranjehuis, veroorzaakte De Graaf met zijn standpunt de nodige opwinding, met als gevolg veel artikelen en een lawine aan ingezonden stukken in de kranten en een optocht van 'deskundigen' op de televisie. Juist omdat De Graaf het onderwerp met zijn beroep op de rede en de redelijkheid vooral staatsrechtelijk benaderde, werd hij verrast door de opwinding die zijn suggesties in het land veroorzaakten. Met de sociaal-psychologische en cultuurhistorische aspecten van het koningschap van de Oranjes had hij kennelijk iets te weinig rekening gehouden. Het feit dat de negentiende-eeuwse Franse historicus Renan de relatie tussen het Nederlandse volk en de Oranjes ooit met een intiem huwelijk vergeleek, had voor hem een waarschuwing moeten zijn.

## Tegenstellingen in polderland

In reactie op de staatsrechtelijke voorstellen van De Graaf zegde premier Wim Kok het parlement een nota toe, waarover een kamerdebat gehouden werd.[166] In dit debat verdedigde de premier juist het feit dat de koning op grond van artikel 42 van de grondwet deel uitmaakt van de regering. Hij zei waarde te hechten aan de inbreng van het staatshoofd en aan de mogelijkheid die er nu was hierover van gedachten te wisselen. 'De waarde zit dus vooral in het traject binnen de regering vóór de besluitvorming. Op het moment dat de besluitvorming heeft plaatsgevonden wordt er getekend', aldus Kok.[167] Als De Graaf de consequentie aan de orde stelt van een weigering van de koning om zijn handtekening te zetten, zegt de premier hierover:

*In het licht van de ministeriële verantwoordelijkheid en de in 1983 vastgestelde regels en de sindsdien ontwikkelde praktijk is de koning zich zeer bewust van de onmogelijkheid om van de bevoegdheid tot weigering gebruik te maken. Dat is materieel een feit. Als er gebruik wordt gemaakt van de bevoegdheid om niet te tekenen, zelfs als dat constitutioneel zou zijn, is er sprake van een crisis.*

Voor de premier zou zo'n constitutionele crisis in principe het aftreden van het staatshoofd tot gevolg hebben. De Graaf veronderstelt een eigen bevoegdheid van het staatshoofd waaraan alleen een einde zou komen als de koning geen deel meer zou uitmaken van de regering en als zijn handtekening niet meer nodig zou zijn. Om een reactie gevraagd, zegt oud-premier Lubbers hierover dat de mogelijkheid dat de koningin haar handtekening formeel zou kunnen weigeren, niet zou moeten veranderen. In principe zou het weliswaar om een academische kwestie gaan, maar hij meent 'dat een staatkundig systeem geen vitaliteit zou hebben als de spanning van een constitutionele crisis helemaal uitgesloten zou zijn'.[168]

In feite bleken de regering en De Graaf toch ook weer niet zo scherp tegenover elkaar te staan. De regering wil dat het staatshoofd lid van de regering blijft, maar de essentie van zijn staatkundige rol wordt gezien als die van adviseur. Hoewel De Graafs voorstellen in de richting van het Zweedse koningschap lijken te gaan, waarbij de koning een bijna uitsluitend ceremoniële rol vervult, omarmt hij dit systeem toch weer niet helemaal.[169] Zijn kritiek richt zich hoofdzakelijk tegen het door 'elkaar husselen' van de functie van staatshoofd en het lidmaatschap van de regering. Hij heeft echter geen bezwaar tegen diens rol van adviseur en De Graaf stelt in verband daarmee dat de invloed van het staatshoofd niet ter discussie behoeft te staan en dat het staatshoofd bij grote politieke impasses eventueel een bemiddelende rol zou kunnen spelen.[170]

Het is moeilijk te zeggen waar het hier nu om een verschil in principe gaat en waar er eigenlijk eerder sprake is van een verschil in benadering. De Graaf wil wat hij theoretisch wenselijk acht ook grondwettelijk vastgelegd zien. Voor de regering registreert de grondwet de historisch gegroeide werkelijkheid, dat wil zeggen de constitutionele spelregels zoals deze zich geleidelijk aan ontwikkeld hebben en verder baseert ze zich op het gewoonterecht. Het regeringsstandpunt laat daardoor wat meer ruimte voor de tradities. Het voordeel van handhaving van tradities kan zijn dat de continuïteit van de instituties er door onderstreept wordt en dat deze daardoor voor een breed publiek eerder herkenbaar blijven. Waarom De Graaf het voorzitterschap van de koningin van de Raad van State zou willen beëindigen, wordt niet erg duidelijk, omdat hij geen bezwaar zou hebben tegen het koninklijke recht van advies en de Raad van State is nu eenmaal hoofdzakelijk een adviescollege van de regering, terwijl het voorzitterschap van de koningin ook nog eens een puur ceremoniële aangelegenheid is.

Hoewel de regering in veel opzichten aan het historisch gegroeide vasthoudt, introduceert ze in dezelfde brief aan de Kamer het staatsrechtelijke novum dat de premier voortaan de 'regeringsleider' heet te zijn. Dat is wel begrijpelijk omdat in veel Europese staten het staatshoofd geen lid van de regering is en de premier dus automatisch fungeert als regeringsleider. Op internationale bijeenkomsten werd de positie van de Nederlandse premier als niet-regeringschef daarom wat ongemakkelijk gevonden. Maar nu hebben we weer de wat merkwaardige constructie dat het staatshoofd deel uitmaakt van de regering, waarvan een ander, de premier, de leider is. Het pleidooi om het staatshoofd te handhaven als lid van de regering wordt hierdoor op zijn minst verzwakt.

# De koning van Hispanje als rolmodel

Als er voorgesteld wordt om het staatshoofd voortaan niet langer lid van de regering te laten zijn, veroorzaakt dit in Nederland grote opwinding bij de aanhangers van het koningshuis omdat men ten onrechte veronderstelt dat deze constructie per definitie niet samen zou kunnen gaan met een inhoudelijk koningschap. Maar toen Spanje na de Franco-dictatuur een democratisch koninkrijk werd en er een nieuwe grondwet moest komen, heeft men toch bewust voor deze constructie gekozen. Prof. S.W. Couwenberg hield in het Tijdschrift voor Bestuurswetenschappen en Publiekrecht een interessant pleidooi om de Spaanse grondwet van 1978 als voorbeeld te nemen. Vergeleken met de Nederlandse grondwet is daarin namelijk sprake van een duidelijker scheiding van functies gecombineerd met een korte heldere omschrijving van de bevoegdheden van de drie constitutionele toporganen: koning, regering en volksvertegenwoordiging.

De koning maakt daar ook geen deel meer uit van de regering, maar als staatshoofd en symbool van eenheid en continuïteit van de staat behoudt hij nog wel een aantal belangrijke, zij het formele staatsrechtelijke bevoegdheden o.a. bekrachtiging en afkondiging van alle wetgeving, benoeming van de leden van de regering nadat zij langs democratische weg geselecteerd zijn, ondertekening en bekrachtiging van verdragen met andere staten, het uitschrijven van referenda zoals voorzien in de grondwet, het opperbevel van de strijdkrachten en dergelijke.[171]

Het voordeel van de Spaanse grondwet vindt Couwenberg dat de koning er, in tegenstelling tot het Zweedse model dat van 1975 dateert, 'als symbool van staatseenheid en -continuïteit toch op duidelijk zichtbare wijze aanwezig is in het dagelijkse staatsgebeuren'.[172]

Voor een verduidelijking van de staatkundige rol van het staatshoofd zoals Couwenberg dit bepleit en die tevens een aanmerkelijk opschonen van het koninklijke takenpakket zou inhouden, is daarom in principe wel wat te zeggen. Het staatshoofd zou meer tijd en ruimte krijgen om te fungeren als 'hart van de samenleving', met name op cultureel en maatschappelijk terrein. Als de koningin geen deel meer uit zou maken van de regering betekent dit nog niet dat zij niet meer zou kunnen fungeren als adviseur van de regering. In het traject van wet- en regelgeving en van benoemingen zou men immers een vast moment kunnen plannen waarop de adviezen en kanttekeningen van het staatshoofd tijdig aan de orde zouden kunnen komen. Uiteraard zou ook in deze situatie de benodigde koninklijke handtekening in principe slechts aangeven dat het bovenpartijdige staatshoofd gehoord is en symbolisch zou het benadrukken dat de desbetreffende wetten en besluiten niet alleen gelden voor de toevallige parlementaire meerderheid, maar voor de samenleving als geheel.

Als de koningin geen deel meer zou uitmaken van de regering, komt de opzet van Prinsjesdag mogelijk ter discussie te staan. Er zijn altijd mensen geweest die er bezwaar tegen hebben dat het onpartijdige staatshoofd de Troonrede uitspreekt, omdat deze een politieke lading heeft. Ze vinden dat deze traditie aanleiding tot verwarring geeft. De voorstanders ervan vinden dat het om een sympathieke traditie gaat, dat de bevolking dit feestelijk ceremonieel niet zou willen missen en dat hierdoor bovendien een breed publiek spontaan bij een politiek gebeuren betrokken wordt. Uiteraard moet de traditie van Prinsjesdag gehandhaafd worden, maar elke aanpassing van een traditie behoeft deze natuurlijk nog niet meteen zinloos te maken. Het uitspreken door de koningin van de Troonrede in zijn huidige opzet heeft zeker zijn charme, maar het is nu ook weer geen zaak waarmee het koningschap staat of valt. In een situatie waarin de koningin geen deel meer zou uitmaken van de regering is ook voorstelbaar dat de koningin met een korte, persoonlijke, inhoudelijke speech het parlement zou openen. De premier zou daarna zijn duidelijk meer politiek getinte regeringsverklaring kunnen afleggen. Verder zouden alle andere activiteiten, inclusief de rijtoer en de balkonscène, op dezelfde manier plaats kunnen hebben.

## De koningin als mediator

Couwenberg zou in die nieuwe situatie geen taak meer zien voor het staatshoofd bij de kabinetsformaties. Maar gelet op de Nederlandse verhoudingen is het verstandiger om de mogelijkheid in elk geval wél open te laten dat het staatshoofd i.c. de (in)formateur in geval van een politieke impasse als 'mediator' zou kunnen optreden. Wat de rol van de koning bij de kabinetsformaties betreft werd er in het kamerdebat van de zijde van de regering gesteld dat er geen grondwettelijk beletsel voor de Tweede Kamer bestaat om de procedure te wijzigen. Er werd op gewezen dat het in eerste instantie een verantwoordelijkheid van de Tweede Kamer zelf betreft. De regering verwees daarbij naar de motie-Kolfschoten op grond waarvan de Tweede Kamer in 1971 tevergeefs al eens geprobeerd had zelf een (in)formateur aan te wijzen. Uiteindelijk was de Kamer toch weer bij de koningin uitgekomen. Tijdens het kamerdebat hierover sprak men in dit verband van het 'hangendepootjesscenario'. Het Tweede-Kamerlid voor de PvdA Peter Rehwinkel had overigens al eerder dan De Graaf gesuggereerd om bij een volgende formatie in 2002 toch weer te proberen om de Kamer zelf een (in)formateur te laten voordragen. Hij is van mening dat politieke verantwoordelijkheden zoveel mogelijk door de verantwoordelijke politici gedragen moeten worden en dat het staatshoofd zo min mogelijk bij de politieke strijd betrokken dient te worden. Principieel is hier wat voor te zeggen, hoewel deze gang van zaken politiek gekonkel uiteraard allerminst uitsluit. Maar mocht de politiek er absoluut niet uit komen dan houdt Rehwinkel terecht de mogelijkheid open dat er alsnog overgegaan wordt tot de klassieke procedure waarbij het staatshoofd gehoord de adviezen, een (in)formateur aanwijst. Er is immers niks mis mee dat in het geval van een politieke impasse het bovenpartijdige staatshoofd ingezet wordt. In Zweden heeft men op grond van een soort democratisch fundamentalisme deze taak aan de koning ontnomen. De gehele formatieprocedure is in handen van de parlementsvoorzitter gelegd, die zich tijdens de formatie natuurlijk van zijn partijpolitieke vooringenomenheden moet trachten te bevrijden. In het NRC Handelsblad wees de jurist en mediator mr. J.M. Bosnak erop dat de koningin door haar onafhankelijkheid en haar vertrouwenspositie de ideale figuur is om de rol van mediator te vervullen. Mediation is een moderne methode waarbij partijen zélf, onder begeleiding van een neutrale derde, tot elkaar trachten te komen. 'Een mediator is geen conflictbeslechter, maar helpt en stimuleert partijen bij een (dreigende) conflictsituatie zelf hun conflicten op te lossen. Het betreft vooral situaties waarbij partijen nog lange tijd met elkaar te maken zullen hebben.'[173] Zoals bij coalities dus.

### De 'gemitigeerde ministeriële verantwoordelijkheid'

Het is merkwaardig dat in de discussie rond de inbreng van De Graaf het functioneren van de ministeriële verantwoordelijkheid aanvankelijk betrekkelijk weinig aandacht kreeg. Toch zouden de kanttekeningen die de Raad van State in genoemd advies gemaakt had, gezien kunnen worden als verkapte kritiek op de manier waarop de politiek met dit onderwerp omgaat. Er werd onder meer gewezen op de noodzaak van een 'eensluidende interpretatie van het staatsrecht op dit terrein door Staten-Generaal en regering', dat dit onderwerp 'deel behoorde uit te maken van het gemeen overleg tussen Staten-Generaal en minister-president', dat 'vermeden moet worden dat een publiek debat over het koningschap zich wel in de media maar buiten dat overleg afspeelt' en dat een 'actieve ministeriële verantwoordelijkheid meer dan ooit nodig was'. Verder werd er gesteld dat een gedeelte van de discussie over het koningschap toe te schrijven is aan 'onduidelijkheid over de betekenis van de ministeriële verantwoordelijkheid'. Kennelijk was men in de Raad van State minder gelukkig met het verschijnsel dat er in de media wél over het koningschap en de ministeriële verantwoordelijkheid gedebatteerd werd, maar in het parlement niet en het lijkt er tevens op dat men zich een meer alerte houding van de minister-president op dit terrein wel zou kunnen voorstellen. Maar de Kamer heeft dit thema verder niet uitgediept. Later is er, als argument om de omvang van het Koninklijk Huis te beperken, wel op gewezen dat bij de tegenwoordige omvang het zo goed als ondoenlijk was om de ministeriële verantwoordelijkheid te effectueren. Maar ook toen is voorbijgegaan aan de vraag of de tegenwoordige uitleg van de ministeriële verantwoordelijkheid zelf geen problemen oproept, of deze nog wel voldoet aan de oorspronkelijke intentie en of deze eigenlijk wel past in het huidige tijdsbestek. Een enkele uitzondering daargelaten: mevrouw Halsema (GroenLinks) gaf bijvoorbeeld tijdens eerdergenoemd debat wel blijk van haar scepsis om de ministeriële verantwoordelijkheid nog te kunnen effectueren. Ze zei: 'Mij lijkt het dat in de moderne mediademocratie waarin wij leven en waarin elke private handeling van de koningin in principe kan worden blootgelegd, deze reikwijdte van de ministeriële verantwoordelijkheid niet vol te houden is'.[174] Buiten de Kamer werd, zoals gesteld, aan dit onderwerp meer aandacht besteed. Met enige regelmaat wordt in artikelen en ingezonden stukken de stelling verkondigd dat het koningschap mensonterende eisen zou stellen aan de leden van het Koninklijk Huis omdat ze niet zoals een ander vrij voor hun mening uit kunnen komen. Een voorbeeld hiervan was een artikel in Trouw van de politicoloog Henk van der Kolk (RUT).[175] Dit blijk van mededogen met de

Oranjes wordt meestal aangevoerd om vervolgens als argument te dienen om het koningschap af te schaffen. Twee aspecten worden daarbij veronachtzaamd. Allereerst is het zo dat de mening van het staatshoofd natuurlijk binnen de regering wel degelijk gehoord wordt en verder heeft ook de huidige interpretatie van de ministeriële verantwoordelijkheid geen eeuwigheidswaarde. Het zou ook anders kunnen. Prof. mr. I. van der Vlies bijvoorbeeld, hoogleraar staatsen bestuursrecht aan de UvA, vindt de huidige uitleg ervan veel te rigide. Zij spreekt zich zelfs uit voor een principiële openheid rond het staatshoofd.[176]

Zij veronderstelt dat de ministers hierdoor in een minder geforceerde positie geplaatst worden en dat het bestaan voor de koningin hierdoor dragelijker zou worden. De formule van de ministeriële verantwoordelijkheid en de daaruit voortvloeiende geheimhouding van koninklijke opvattingen zou een 'absolute toverformule' geworden zijn. Volgens Van der Vlies zouden ministers en kamerleden helemaal niets behoeven te verzwijgen. Ze wil af van dit krampachtige systeem. Ze pleit in dit verband voor goede persvoorlichting en laat het van het staatshoofd afhangen of deze zo voorzichtig is dat deze kan blijven functioneren als symbool van nationale eenheid. Wat haar kritiek betreft kreeg Van der Vlies in het voorjaar 2001 steun toen er van politiek prominente zijde kanttekeningen geplaatst werden bij de huidige interpretatie van de ministeriële verantwoordelijkheid. In het NRC Handelsblad schreef Hans Dijkstal, de fractievoorzitter van de VVD in de Tweede Kamer, een artikel onder de titel 'Koning en zijn familie moeten meer ruimte krijgen'. Dijkstal, die uiteraard het principe van de ministeriële verantwoordelijkheid niet ter discussie stelt, begint met erop te wijzen dat het een misverstand zou zijn te veronderstellen dat het indertijd de bedoeling was met het desbetreffende grondwetsartikel leden van het Koninklijk Huis onder politieke verantwoordelijkheid van het Kabinet te brengen. Verder noemt hij de huidige interpretatie te rigide, waardoor de koninklijke familie juist tot doelwit gemaakt wordt van het publieke debat en pleit voor 'terughoudendheid en meer ruimte en vrijheid voor de Koning en zijn familie'.[177]

In zijn inbreng in de Verenigde Vergadering ter gelegenheid van de behandeling van de Toestemmingswet in juli daarop, kwam Dijkstal hier nog eens op terug. Hij stelde dat er verwacht wordt dat de leden van het Koninklijk Huis zich vrij kunnen bewegen in de samenleving. Hij sprak van hun recht op privacy en pleitte ervoor de ministeriële verantwoordelijkheid 'een beperkte invulling te geven'.

Op dezelfde dag dat het artikel van Dijkstal in het NRC Handelsblad verscheen, publiceerde Trouw een samenvatting van een speech van prof. mr. dr. J.P. Balkenende, vice-voorzitter van de Tweede-Kamerfractie van het CDA, waarvan de titel luidde: 'De koning moet een leider zijn'.[178] Hij vond het kennelijk nodig erop te wijzen dat er binnen het constitutionele kader ruimte aanwezig moet zijn voor 'moreel leiderschap'.

Of de koning nu wel of niet deel uitmaakt van de regering, het principe van de koninklijke onschendbaarheid en de ministeriële verantwoordelijkheid, zoals vastgelegd in artikel 42 van de grondwet, blijft een waardevol constitutioneel uitgangspunt. Hiermee kan voorkomen worden dat het staatshoofd botst met de politiek en daardoor in de politieke strijd betrokken geraakt. Maar hoewel sinds de invoering van dit constitutionele principe het koningschap gedepolitiseerd is en het Koninklijk Huis zich de democratie volledig eigen heeft gemaakt, is de toepassing ervan de laatste jaren zo krampachtig geworden dat het koningschap door de politiek verstikt dreigt te worden.

Het artikel zou niet veranderd behoeven te worden, maar over de toepassing ervan zouden tussen de regering en de volksvertegenwoordiging nieuwe, duidelijke afspraken gemaakt moeten worden. Er zou daarvoor een onderscheid gemaakt kunnen worden tussen de 'hardcore' van de politiek, waarvoor de ministeriële verantwoordelijkheid direct en onverkort behoort te gelden, en die gebieden waartegenover de politiek zich uiterst terughoudend dient op te stellen. Hiervoor zou slechts een 'uiteindelijke' ministeriële verantwoordelijkheid moeten gelden. Dan gaat het om de privacy van de leden van het Koninklijk Huis, om het specifieke karakter van het koningschap als niet-politiek instituut en als tussengebied, om de persoonlijke marge voor het staatshoofd om aan zijn functie toch een eigen invulling te kunnen geven.

Een extreem blijk van gebrek aan respect voor het privé-leven van de leden van het Koninklijk Huis gaf het kamerlid dat vroeg of de Prins van Oranje van het kabinet toestemming gekregen had voordat hij zijn geliefde op het ijs van de vijver van Huis ten Bosch ten huwelijk vroeg. Zo iemand heeft natuurlijk alle gevoel voor verhoudingen uit het oog verloren. Hiermee blameert de politiek zich. Aan de privacy moet de politiek niet willen raken.

Maar de politiek zou ook bewust zo min mogelijk bemoeienis moeten willen hebben met zaken die verband houden met het specifieke karakter van het koningschap als eigensoortig instituut. De inrichting van het hof, het gebruik van de familienamen en het gebruik en de toekenning van de traditionele titels binnen de koninklijke familie zijn van die onderwerpen waarvoor uiteindelijk wel de ministeriële verantwoordelijkheid zou moeten blijven gelden, maar waar de politiek zich alleen in uiterste noodzaak mee zou moeten inlaten. Waarom zou de beslissing of de echtgenote van de nieuwe koning prinses of koningin genoemd wordt in principe niet aan het Koninklijk Huis zelf gelaten worden? Wat is de politieke relevantie van vragen zoals welke achternamen de kleinkinderen-Van Vollenhoven zouden moeten dragen en of mr. Pieter van Vollenhoven wel of niet in de adelstand verheven zou moeten worden? Het is uiterst merkwaardig prins Constantijn in het tv-interview aan de vooravond van zijn huwelijk met Laurentien Brinkhorst te horen zeggen dat de titulatuur van hun eventuele kinderen een zaak van de politiek zou zijn. De politieke relevantie van dit soort onderwerpen is immers nihil. Er is sprake van een ridiculisering van de politiek als men hier zijn tijd en energie aan besteedt en dit niet primair aan de betrokkenen overgelaten wordt. De charme van het koningschap voor het publiek is onder meer dat de intrinsieke logica ervan in bepaalde opzichten afwijkt van de gangbare politieke logica en dat het bijvoorbeeld door zijn ver- wijzing naar gisteren en morgen grotere afstand heeft tot de waan van de dag. De politiek moet daarom zijn logica niet al te zeer willen vermengen met de logica van het koningschap. Politici zouden zich er bovendien voor moeten hoeden de indruk te wekken dat ze uit onvermogen om de werkelijk problemen aan te pakken, maar vluchten in de 'royalty'.

Elke functie, ook die van staatshoofd, heeft een minimale ruimte nodig voor een persoonlijke invulling ervan om goed te kunnen functioneren. Hiermee wordt bovendien voorkomen dat het staatshoofd als persoon al te krampachtig in het leven komt te staan. In een tijd dat er steeds meer openheid betracht wordt en dat transparantie het sleutelwoord is, dat informeel gedrag steeds meer op prijs gesteld wordt en dat de persoon achter de functionaris een steeds belangrijker plaats krijgt, verdraagt een te starre interpretatie van de ministeriële verant- woordelijkheid zich niet meer met het moderne levensbesef. Op grond van hun ervaring vinden Pronk en Ritzen dat er wat meer ruimte voor het konings-

Ter gelegenheid van het huwelijk van prins Constantijn en Laurentien Brinkhorst: prinses Margriet, prins Berhard, Máxima Zorreguieta, de prins van Oranje en mr. Pieter van Vollenhoven.

huis zou kunnen zijn om zich wat minder omfloerst over publieke zaken uit te spreken.[179] Oud-premier Lubbers heeft al vroeg ingezien dat ook het koningschap enige eigen ruimte nodig heeft om zinvol te kunnen functioneren. Dat past tevens bij zijn kijk op het functioneren van het koningschap als 'hart van de natie'. Hij meent dat 'de staatsrechtelijke verhoudingen respecterend' de tijd rijp is voor wat meer ruimte voor het staatshoofd. Daarom vindt hij een 'royale en geen angsthazige interpretatie van de ministeriële verantwoordelijkheid' de moeite waard. Kenners op het gebied van de staatsrechtelijke verhoudingen zoals de vroegere PvdA-senator Joop van den Berg en PvdA-Tweede-Kamerlid Peter Rehwinkel vinden dat zo'n beleid niet zonder risico's is. Hiermee geconfronteerd stelt Lubbers dat deze soepelere verhoudingen uiteraard wel politieke terughoudendheid van het staatshoofd en een intensief overleg tussen het staatshoofd en de premier veronderstellen. In elk geval kunnen we constateren dat de constitutionele verhoudingen tijdens zijn gehele premierschap uitstekend gebleven zijn.

De tijd lijkt rijp voor een 'gemitigeerde ministeriële verantwoordelijkheid', dat wil zeggen dat we met inachtneming van de uiteindelijke ministeriële verantwoordelijkheid, zullen moeten kiezen voor een bewuste, beleidsmatige terughoudendheid met betrekking tot de toepassing van dit constitutionele principe. Dan zou niet iedereen direct opgewonden behoeven te reageren als tijdens besprekingen met kamerleden de koningin zich bijvoorbeeld eens laat ontvallen dat ze voor het gebruik van pepperspray is. De regering zou in dat soort situaties kunnen verwijzen naar die 'persoonlijke marge'. Waarschijnlijk ongewild nam vice-premier Jorritsma hier een voorschot op toen haar gevraagd werd wat ze vond van de ontboezeming van koningin Beatrix dat in de media de leugen zou regeren. Jorritsma reageerde met: 'Als Hare Majesteit dat vindt, dan vindt Hare Majesteit dat.' Ze kon kennelijk niet veel met de koninklijke stellingname, maar ze hoefde er ook niet veel mee. Haar reactie was waarschijnlijk niet 'constitutioneel correct' maar wel realistisch. Natuurlijk zouden over deze 'Jorritsma-marge', over deze 'persoonlijke ruimte' afspraken gemaakt moeten worden tussen het staatshoofd en het kabinet en tussen het kabinet en de volksvertegenwoordiging. Tussentijds zouden die afspraken bijgesteld moeten kunnen worden. Uiteraard zal het staatshoofd zich terughoudend dienen op te stellen. Het koningschap is naar zijn aard een bovenpartijdig instituut en we mogen met Van der Vlies aannemen dat ook de koningin beseft dat het van levensbelang is dat het Koninklijk Huis zo min mogelijk omstreden raakt. Maar we mogen er ook van uitgaan dat we inmiddels als 21ste-eeuwse burgers democratisch genoeg zijn om ons niet meer door een koningin van ons politieke à propos te laten brengen, dat we tolerant genoeg zijn om haar soms eens een afwijkend standpunt te gunnen en dat we ons voldoende in haar rol kunnen verplaatsen om haar een incidentele misser niet al te zeer na te dragen. Een zekere ontmythologisering van het koningschap behoeft niet altijd een bedreiging in te houden. Het biedt ook weer nieuwe perspectieven. Koningen kunnen het gewoon ook eens mis hebben.

Uiteraard blijft een ruimere interpretatie van de ministeriële verantwoordelijkheid niet zonder risico's. Maar een 'beperkt eigen risico' met nog steeds de ministerieel verantwoordelijke vinger aan de pols, zou op langere termijn toch wel eens minder riskant voor de toekomst van het koningschap kunnen zijn dan de huidige zeer rigide uitleg van de ministeriële verantwoordelijkheid. De oud-minister van Binnenlandse Zaken ten tijde van het kabinet-Den Uijl W.F. de Gaay Fortman wees er al op dat het ook risico's voor het koningschap heeft om de leden van het Koninklijk Huis voortdurend beperkingen op te leggen.[180] Voorkomen moet worden dat het staatshoofd door gebrek aan profiel steeds meer buiten de moderne samenleving komt te staan waardoor de interactie tussen koningin en samenleving gefrustreerd zou worden.

## Koningshuis en public relations

Als consequentie van de ministeriële verantwoordelijkheid berust de verantwoordelijkheid voor de voorlichting over het Koninklijk Huis bij de regering. Op grond hiervan en gelet op de ervaringen met de tegenstrijdige berichtgeving rond het huwelijk van prinses Irene is er in de jaren zestig gekozen voor de huidige organisatorische opzet. Gelet op de instructie van de RVD, die gebaseerd is op het Koninklijk Besluit van 13 december 1965, gaat het feitelijk slechts om coördinatie van de voorlichting rond het Koninklijk Huis. Deze voorlichting is sindsdien in handen van de Rijksvoorlichtingsdienst. De RVD ressorteert onder de minister-president en deze dienst geeft ook voorlichting over het algemeen regeringsbeleid en over het ministerie vanAlgemene Zaken. Onder verantwoordelijkheid van de hoofddirecteur van de RVD is binnen de Directie Voorlichting, de afdeling Pers en Publiciteit betrokken bij de berichtgeving en woordvoering over het Koninklijk Huis. Deze afdeling speelt tevens een rol bij de voorbereiding en uitvoering van openbare activiteiten van leden van het Koninklijk Huis en het hoofd van de afdeling, Han Tonnon, woont 's maandags de wekelijkse stafvergadering bij van de koningin. Mocht er een thema aan de orde komen waarvan hij bijvoorbeeld meent dat dit publicitair gevoelig zou kunnen liggen, dan neemt hij contact op met de hoofddirecteur van de RVD, Eef Brouwers. Deze kan, indien nodig, een en ander voorleggen aan de minister-president, die elke maandagmiddag een ontmoeting heeft met de koningin zodat het dus nog op dezelfde dag bij haar ter sprake gebracht kan worden. De hoofddirecteur van de RVD is overigens de enige ambtelijke functionaris die op grond van de instructie het staatshoofd gevraagd én ongevraagd advies kan geven.

De huidige opzet was een begrijpelijk antwoord op de problemen uit de jaren zestig. Op papier is het allemaal nog steeds aardig gecoördineerd, maar met enige regelmaat steekt toch de onvrede de kop op over de berichtgeving rond het Koninklijk Huis. Het systeem voldoet niet meer. Dat is niet zo verbazingwekkend, omdat de situatie in Den Haag inmiddels ingrijpend veranderd is. Dit betreft dan zowel de politiek en de media als de RVD zelf. Er is bijvoorbeeld een drastische toename van het aantal voorlichters van ministeries en diensten. Politici doen geen stap zonder hun 'spinning doctors' te raadplegen. Voorlichters kunnen zo hun eigen belang hebben, bijvoorbeeld door te 'lekken' voor een latere wederdienst, om het straatje van de eigen minister schoon te vegen, desnoods ten koste van het onschendbare staatshoofd enz. Zelfs een enkele functionaris in dienst bij het hof of bij de RVD wil tegenwoordig wel eens van zijn of haar oorspronkelijke taakopdracht afdwalen en een enkele minister wil na een late vergadering en geïnspireerd door nationale dranken als Bokma en Heineken zich in aanwezigheid van een journalist wel eens tot te sterke verhalen laten verleiden.

Een deel van de kritiek op de RDV komt erop neer dat bij de RVD toch de ware p.r.-view met betrekking tot het Koninklijk Huis zou ontbreken. Het was uit een oogpunt van public relations bijvoorbeeld niet zo verstandig om prins Johan Friso in een formele verklaring te laten stellen dat hij niet homoseksueel zou zijn. Het was ook niet zo slim dat de RVD tijdens het hoogtepunt van de Máximaperikelen prins Willem-Alexander niet liet begeleiden door een daartoe gekwalificeerd woordvoerder. Voorspelbaar ging er iets mis, maar de premier kapittelde niet zijn eigen dienst, waar hij verantwoordelijk voor is, maar alleen de prins. De dienst bleek onschendbaar, de prins verantwoordelijk. Zo stout had Thorbecke het nooit durven dromen.

Maar de positie van de RVD is ook niet eenvoudig in de huidige opzet. De RVD zit op een ongemakkelijke manier ingeklemd tussen de media die zoveel mogelijk willen weten en een koninklijke familie die de privé-sfeer scherp afgeschermd wil zien. Sommige ingewijden veronderstellen dat door het hof de RVD toch ervaren wordt als een instituut van buiten, 'een instantie, die toch vooral de belangen van de premier is toegedaan'. In de RVD-instructie is overigens alleen sprake van voorlichting, er wordt niet gerept van een breder p.r.-beleid. Er lijkt aan het hof geen uitgekristalliseerde opvatting te bestaan over de noodzaak ervan. Er zijn er die een p.r.-beleid onnodig vinden omdat 'de Oranjes niet als sinaasappelen verkocht' behoeven te worden. Een ander stelde dat Oranje vergeleken zou kunnen worden met 'een duur merkartikel en dat het dan altijd maar de vraag is waar de kwaliteit ophoudt en de illusie begint. Een deskundige aanpak om deze illusie in stand te houden zou niet meer dan een logische consequentie moeten zijn van professioneel koningschap'. In hoeverre er incidenteel p.r.-adviezen van buiten gevraagd worden is overigens niet na te gaan.

De huidige stand van zaken in de mediawereld en ook de gewenste, wat minder 'angsthazige interpretatie' van de ministeriële verantwoordelijkheid maken een andere opzet van de RVD en de ontwikkeling van een specifiek 'koninklijk p.r.-beleid' noodzakelijk. Er zou daartoe een eigen p.r.-functionaris voor het Koninklijk Huis aangesteld kunnen worden, die zich ook primair bij het Koninklijk Huis betrokken zou voelen en onder uiteindelijke verantwoordelijkheid van het Kabinet samen zou werken met de RVD. Uiteraard zou het ook niet onverstandig zijn als leden van het Koninklijk Huis zich nog meer professionaliteit in de omgang met de media eigen zouden maken. Dit zou verder kunnen gaan dan mediatraining. Het bijwonen van vergaderingen van de Raad van State wordt voor het toekomstig staatshoofd van belang geacht, maar het vergaren van inzicht in het functioneren van de media zowel theoretisch als door het volgen van stages, zou wel eens minstens zo belangrijk kunnen zijn.

## Bijzondere leerstoel 'Oranje en de nationale identiteit'

Zoals het koningschap zich steeds aangepast heeft, zal dit ook in de toekomst gebeuren. We mogen aannemen dat deze aanpassingen vooral te maken zullen hebben met de interpretatie van bestaande regels, met de aandachtsgebieden waarop het koningschap zich richt, met de communicatie en uiteraard zal een troonswisseling ook altijd een verandering van stijl tot gevolg hebben. Naarmate het koningschap meer gedepolitiseerd is, is het staatsrechtelijk element ervan minder interessant geworden in tegenstelling tot het cultuurhistorische. Het sociaal-psychologische aspect van dit instituut in relatie tot de nationale identiteit en het functioneren ervan op maatschappelijk en cultureel terrein vragen om nadere studie. Andere disciplines dan het staatsrecht en de politicologie zouden daarom wel eens meer belangstelling voor dit onderwerp kunnen krijgen en zouden ook bij het denkproces over de betekenis en het functioneren van het koningschap betrokken moeten worden. Voor een regelmatige reflectie op het koningschap en op de vraag hoe dit wel zeer eigensoortige fenomeen voluit dienstbaar kan zijn aan de moderne democratische samenleving, ligt er niet uitsluitend een taak voor het koningshuis en de politiek. In de lijn van de Nederlandse traditie zou de samenleving hierin via het particuliere initiatief ook een rol kunnen spelen. Het zou daartoe een bijzondere leerstoel kunnen stichten. De opdracht zou dan in het teken kunnen staan van bestudering van de betekenis en de ontwikkeling van 'de nationale identiteit in relatie tot verschijnselen zoals mondialisering, Europese integratie en de ontwikkeling van een multiculturele samenleving met bijzondere aandacht voor het fenomeen van het Oranjehuis daarbinnen'.

# 11 De Oranjemythe als 'mission statement'

## Het gewicht van het niet-meetbare

Sinds het revolutiejaar 1989, toen 'de muur' viel, hebben auteurs zoals Francis Fukuyama, Jean-Marie Guéhenno en Samuel Huntington in spraakmakende geschriften zich gewaagd aan toekomstvisies, die veelal zorgelijk van toon waren. Hun zorg betreft onder meer de bedreiging van de maatschappelijke samenhang. Na een aanvankelijk euforische reactie over de triomf van het liberale kapitalisme vraagt Fukuyama in 'The End of History and the last Man' zich af of het zegevierende liberalisme uiteindelijk de gemeenschapszin niet zou vernietigen waarop het gebaseerd is. In de lijn van de negentiende-eeuwse Franse historicus De Tocqueville, naar wie hij veelvuldig verwijst, moet hij toegeven dat juist vaak niet-rationele overwegingen en bindingen ten grondslag liggen aan de gemeenschapszin die een democratie nodig heeft om levensvatbaar te zijn. Ook in latere publicaties vraagt hij zich af hoe ons culturele erfgoed veilig gesteld zou kunnen worden omdat de liberale democratie op zich slechts een lege huls is. Guéhenno voorziet in 'La fin de la démocratie' ten gevolge van de globalisering, het afsterven van de nationale, territorium-gebonden staat. Omdat de solidariteit die bij de nationale democratische instellingen hoort daarmee ook zou verdwijnen, verwacht hij op langere termijn zelfs de ondergang van de democratie. Samuel Huntington wijst in 'The clash of civilazations and the remaking of worldorder' op de uniformerende tendensen in de wereld als uitvloeisel van verschijnselen zoals de democratie, de markteconomie en het daarbij behorende consumptiemechanisme en de informatietechnologie. Als reactie hierop ziet hij de behoefte bij mensen, naties en beschavingen om zich van elkaar te onderscheiden steeds sterker worden. Nu de ideologieën het afgelegd hebben, zou men houvast zoeken in oude tradities en vertrouwde collectieve identiteiten zoals religies en naties die kennen. Hij spreekt van een 'tasten naar groepsvorming'. Voor de eenentwintigste eeuw ziet hij 'The politics of identity' als het centrale thema.

Een gemeenschappelijke teneur die uit deze publicaties naar voren komt is wel deze, dat we de betekenis van niet-rationele bindingen en overwegingen in relatie tot de maatschappelijke samenhang en daarmee tot de levensvatbaarheid van de democratie niet mogen onderschatten. Duidelijk is het besef aanwezig dat ook onmeetbare groootheden onmiskenbaar functioneel kunnen zijn. Zoals in Frankrijk de republiek in relatie tot de mythe van de Franse Revolutie onder deze niet-rationele bindingen en overwegingen valt, behoren in ons land de Oranjemythe en het koningschap van de Oranjes daartoe. De overtuiging dat nationale mythen hun betekenis hebben, zou er overigens zelfs toe kunnen leiden dat iemand die zowel over de Franse als de Nederlandse nationaliteit beschikt, in Frankrijk republikein en in Nederland orangist zou zijn. In deze zin kan in een parlementaire democratie de voorkeur voor de staatsvorm namelijk ondergeschikt zijn aan de plaats die de nationale mythe inneemt.

Hoewel er lange tijd weinig belangstelling bestond voor onderwerpen die verband houden met de nationale identiteit en de nationale samenhang, is hier sinds het midden van de jaren negentig ook in ons land enige verandering in gekomen. Een aantal ontwikkelingen gaf aanleiding tot deze nadere bezinning. Zo leeft bijvoorbeeld in brede kring de veronderstelling dat ten gevolge van een steeds verdergaande individualisering de maatschappelijke samenhang in toenemende mate onder druk zal komen te staan. Voorts is er sprake van versplintering van de politieke macht en van een bureaucratisering van de samenleving en van 'functieverlies van Den Haag'. De invloed en het aanzien van de politiek en van politieke instituties zijn in elk geval verminderd en er heeft een overdracht plaatsgevonden van politieke bevoegdheden naar andere instanties buiten Den Haag, waaronder Brussel. Als gevolg van deze processen zal de maatschappelijke behoefte aan een instantie die de eigen, met name culturele identiteit belichaamt zeker sterker worden. Deze identiteit zal een herkenbaar gezicht moeten hebben en op langere termijn ook moeten behouden.

Naar zijn aard zal de intellectueel veelal geneigd zijn ook een verschijnsel als de nationale identiteit rationalistisch, als een abstractie, te benaderen. Zo pleitte de Duitse socioloog en filosoof Jürgen Habermas al eens voor een 'Verfassungs-patriotismus' omdat de constitutie de wezenlijke onderlinge binding binnen de natie zou vormen. Op grond van een vergelijkbare benadering hebben Nederlandse liberalen ooit gemeend dat de invoering van de liberale grondwet van 1848 reden zou kunnen zijn voor een regelmatig terugkerende feestelijke herdenking. Maar zoiets mobiliseert de massa van de mensen natuurlijk niet. Toen de zorg over de verdeeldheid van de Nederlandse samenleving toenam, namen liberalen enkele decennia later, zoals we zagen, het initiatief tot de invoering van Prinsessedag, later Koninginnedag, als nationale feestdag. Met de viering van de verjaardag van de jongste Oranjetelg, als concrete aanleiding, vierden de Nederlanders tevens als het ware de Oranjemythe. Het mobiliserend effect hiervan bleek spoedig. Koninginnedag werd en bleef een doorslaand succes. Voor Ernest Renan, die zich in 1882 in de Sorbonne de vraag gesteld had 'Wat is een natie?', zou dit een voorspelbare ontwikkeling geweest zijn. Voor hem is de natie een groep van solidair verbonden mensen, voor wie het gemeenschappelijke verleden gecombineerd met de wens om ook een gemeenschappelijke toekomst te hebben, bepalend is. Uiteraard is er hierbij sprake van een selectieve kijk op het verleden. Hoewel men weet dat de historische werkelijkheid er hier en daar soms voor moet worden aangepast, wordt de geschiedenis in het kader van de nationale mythe zo geduid dat het verleden overkomt als een groots samenhangend en zinnig geheel. De nadruk wordt daarbij gelegd op de waarden die men gezamenlijk hoog wil houden. Op deze manier wordt de nationale mythe het verhaal, dat in 'Het nachtelijk liefdesmaal', door Michel Tournier gekenschetst wordt als 'een huis van woorden om samen in te wonen'.

## Consultancy, public relations and mediation

Zoals we al zagen, heeft het huidige gedepolitiseerde koningschap alleen op een indirecte wijze politiek gezien nog een functie. Zo representeert het koningschap de Nederlandse staat naar buiten en naar binnen en staat het in staatkundig opzicht nog steeds voor de continuïteit en de eenheid van Nederland. Door de eeuwenoude band tussen het Nederlandse volk en de Oranjes, juist ook door de erfelijkheid van het koningschap, krijgt die continuïteit iets van een gemeenschap door de tijden heen, waarvan L. Kolakowski onder meer zegt: '... een gemeenschap moet om reëel te zijn, vorige en zelfs hypothetische toekomstige generaties insluiten, moet leven in een geestelijke ruimte waarin het verleden actueel is'.[181] Doordat de koning niet door en uit de politiek geselecteerd is, is het koningschap het geëigende instituut om méér dan alleen het politieke aspect van de natie te representeren. Het cultuurhistorische element van het koningschap neemt daarbij in betekenis toe. De bovenpartijdige positie van het koningschap op grond waarvan de socioloog Max Weber er ook de voorkeur aan gaf, maakt dat dit instituut in de Nederlandse verhoudingen bovendien kan functioneren als een nationaal loyaliteitscentrum. Het versterkt in deze hoedanigheid het streven naar consensus dat aan het 'Nederlandse poldermodel' ten grondslag ligt. Feitelijk rest het staatshoofd in politiek opzicht een adviserende rol en bij een impasse, zoals we die bij kabinetsformaties zien, kan het staatshoofd (i.c. de (in)formateur) als een soort mediator ook bemiddelend optreden. De adviezen van een instituut dat primair op het algemeen belang georiënteerd is en dat sinds koningin Beatrix ook sterk geprofessionaliseerd is, kunnen uiteraard heel zinnig zijn, maar het blijven adviezen. In de enigszins trendy bewoordingen van het bedrijfsleven zou de koningin op haar visitekaartje kunnen zetten: 'Consultancy, Public relations and Mediation on a national level.' Als indirect politiek effect van het koningschap zou nog genoemd kunnen worden dat het, zoals Van den Berg stelt, 'de politici enigszins op hun plaats houdt', dat wil zeggen dat de 'aanwezigheid van het koninklijke staatshoofd de verantwoordelijke politici afremt om zich ook onschendbaar te gaan wanen en zich daar naar te gaan gedragen zoals we dit in Frankrijk wel zien'.[182] In een column in NRC Handelsblad onder de titel 'Meewuiven met de vorst' belicht Rita Kohnstamm ditzelfde aspect vanuit een wat andere invalshoek. Ze schetste een rondvaart die de koningin maakte waarbij ze door het publiek toegejuicht en toegezongen werd. De koningin wuifde terug, maar, constateert de columniste: 'Alleen jammer dat ook allerlei andere mensen meenden in de achterkuip van het bootje te moeten gaan staan wuiven naar het volk.' Dat sloeg op de politici, die ook op de boot aanwezig waren. Vervolgens ...: 'Ik wil als symbool van nationale eenheid geen van de dames of heren uit de achterkuip of van onder het baldakijn. Die krijgen maar praatjes, zonder te weten hoe het als hooggeplaatst persoon behoort.'[183] Kohnstamm geeft hier een ironische schets van een aspect van de Nederlandse politieke cultuur. Politici kunnen hier veel van hun ambities verwezenlijken, maar het koningschap geeft de grenzen ervan aan; de ereplaats is bezet. Een volk dat nooit van regenten hield, heeft deze plaats zeer eigenzinnig, al eeuwenlang voor de Oranjes gereserveerd. Waarschijnlijk intuïtief ervan uitgaand dat waar de waardigheid van het gezag erkend wordt, de arrogantie van de macht minder gauw een kans zou kunnen krijgen. Het koningschap heeft in veel opzichten toch vooral een 'politiek, klimatologische functie'.

Als bovenpartijdig instituut dat tevens de nationale mythe belichaamt, blijft er voor het Oranjekoningschap ook nu nog een belangrijke taak weggelegd als maatschappelijke integratiefactor. De ontwikkeling in de richting van een multiculturele samenleving vergroot de zorg om de maatschappelijke samenhang. Het zou heel zinnig zijn om de eigen specifieke mogelijkheden van het koningschap op dit terrein nader uit te diepen. Het koningschap maakt enerzijds namelijk deel uit van de moderne westerse samenleving, maar komt anderzijds ook voort uit een eeuwenoude traditie. De mythen waarmee het koningschap verbonden is, dragen vage religieuze en sociale herinneringen met zich mee aan oudere culturen. De inzet van een instituut zoals het koningschap, dat hierdoor de tegenstelling modern versus traditioneel overstijgt en dat aandacht geeft aan de samenhang van de samenleving, kan alleen maar waardevol zijn. Of zoals Anet Bleich in haar column onder de titel 'Oranje en rood' stelde, dat het haar geen overbodige luxe leek een staatshoofd te hebben in onze diverse, ietwat versplinterde, multiculturele samenleving, waarin vrijwel iedereen zich kan herkennen.[184] Als oud-premier drs. R.F.M. Lubbers en ook mr. H. Tjeenk Willink, de vice-president van de Raad van State, pleiten voor meer ruimte voor het koningschap, bedoelen ze uiteraard niet dat de politieke rol van het staatshoofd versterkt moet worden, maar dat er zodanige ruimte moet zijn dat het integrerend vermogen van het koningschap optimaal benut wordt. Oranje staat nu eenmaal voor een wezenlijk onderdeel van onze nationale identiteit. Anders gesteld: Zelfs de duurste p.r.-consultancy zou niet in staat geweest zijn het 'mission statement' aan te reiken, dat Nederland met de Oranjemythe al van oudsher in huis heeft.

## In postmodern perspectief

Al naar gelang de tijdsomstandigheden en de plaatselijke situatie kent het koningschap een veelvoud van verschijningsvormen. Oorspronkelijk was de koninklijke macht vaak gebonden aan de besluiten van de volksvergadering en speelden edelen nog een belangrijke rol. De koning kwam uit de kring van edelen voort en werd aanvankelijk door hen gekozen en hij huwde hun dochters. In Frankrijk heetten ze de 'pairs', in Engeland de 'peers' dat wil zeggen zijn gelijken. Zoals we zagen gelukte het later een deel van de vorsten hun macht absoluut te vestigen, maar in de negentiende eeuw keerde definitief het tij. In onze huidige democratische samenleving is de macht aan de burgers. Zij zijn nu de pairs en de koningskinderen huwen thans hun zonen en dochters.

Het koningschap van de Oranjes is uit het stadhouderschap van de Republiek voortgekomen. De Oranjemythe en de nationale geschiedenis vormen de legitimering voor de unieke positie die het Huis van Oranje in Nederland al vier eeuwen inneemt. Het gewone volk en de verschillende minderheden waren meestal sterk voor Oranje geporteerd, ook in Amsterdam. Spanningen waren er vooral met veel regentenfamilies, met name in Amsterdam. Oranje en de grachtengordel, ook daarin is sprake van een traditie.

Het specifieke 'low profile' of republikeinse karakter van het Nederlandse koningschap en de verbinding met de Oranjemythe zijn gunstige voorwaarden voor een vruchtbare wisselwerking tussen het koningschap en de democratische maatschappij. De Oranjemythe stond juist in de donkere oorlogsjaren in het zenit. Een relativering ervan in meer normale tijden was onvermijdelijk. De latere democratiseringsgolf en het verschijnsel van de onttovering dat de moderne samenleving te zien geeft, hebben dit proces zeker gestimuleerd. Maar wat Nederland betreft, constateerden we al dat tegenover het proces van ontmythologisering het verschijnsel van de familialisering staat, waardoor de betrokkenheid bij de koninklijke familie nog steeds erg groot is. De betekenis van de

Oranjemythe mag dan wel gerelativeerd zijn, maar voor de doorsnee Nederlander belichaamt Oranje nog steeds de nationale identiteit.

Het koningschap functioneert op verschillende niveaus. Er zijn momenten, zoals op Koninginnedag, dat het gedeeltelijk in de sfeer van de folklore getrokken wordt. De sprookjesachtigheid die rond vorstelijke huwelijken met name in de populaire pers breed uitgemeten wordt, krijgt voor degenen die geen affiniteit hebben met dit soort romantiek, soms iets van kitsch. Er zou zelfs gesproken kunnen worden van exploitatie van het koninklijke sprookje. Hiervan zegt de Amsterdamse hoogleraar moderne geschiedenis P. de Rooy overigens niet ten onrechte: 'Waarom zouden er in een onttoverde wereld geen sprookjes mogen zijn? Juist nu komen ze heel erg van pas, symbolen zijn belangrijk.'[185] Bagehot wees al op het verschijnsel dat het koningschap via gebeurtenissen die vallen onder de rubriek 'theater van de staat', zoals bij ons de opening van de Staten-Generaal op Prinsjesdag, abstracties op het gebied van staat en politiek eerder toegankelijk maakt voor een breed publiek. Populistisch, zeker, maar dat de democratische instellingen zo en passant meer aandacht krijgen is een gunstig neveneffect. De miskenning van dit gegeven zou niet vrij van arrogantie zijn. In deze betekenis is het concrete democratischer dan de abstractie.

Hoewel het trouwen van leden van de koninklijke familie met burgerzonen en -dochters gezien kan worden als de consequentie van een langdurig democratiseringsproces, zijn hierover af en toe toch kritische geluiden te vernemen. Een voorbeeld hiervan is het artikel van J.L. Heldring n.a.v. het huwelijk van prins Constantijn met Laurentine Brinkhorst, onder de veelzeggende titel 'Een onvermijdelijke vulgarisering'.[186] Hij constateert hierin een teloorgang van de afstand tussen het koningschap en de bevolking, die een voorwaarde zou zijn 'voor het voortbestaan van de monarchie en de uitzonderlijke plaats die zij binnen – of liever gezegd: buiten – de democratie inneemt'. Het gevaar zou schuilen in gemeenzaamheid, die het gevolg zou zijn van 'het gewoon willen doen' en die de reden van bestaan van de monarchie zou ondermijnen omdat 'die niet gewoon is en kan zijn'. Heldring vreest dus koninklijk-decorumverlies. Zeker, als de Oranjes zouden gaan functioneren als de chiquere leden van de internationale jetset zou dat geen waardering ondervinden. Te grote gemeenzaamheid met het sterrendom, met de 'Bekende Nederlanders' of met de politieke elite, zou evenmin op prijs gesteld worden. Het is echter de vraag of met het woord afstand wel voldoende de eigenschap aangegeven wordt die het meest essentieel zou zijn voor het 'low profile'-karakter van het Nederlandse koningschap. Op grond van het prestige van het koningschap, maar vooral van de Oranjemythe, bestaat er weliswaar een uitgesproken verwachtingspatroon ten aanzien van het Nederlandse koningschap, maar hierop zou toch eerder het woord waardigheid dan afstandelijkheid van toepassing zijn; de dignitas waarvan Hella Haasse sprak in haar interview met koningin Beatrix. Ook in de toekomst verwacht men van het koningschap dat het zich als representatief instituut onderscheidt door stijl. Verder wordt er verondersteld dat het substantieel is, dat wil zeggen dat er sprake is van een serieuze inhoudelijke oriëntatie. In het bijzonder gaat het dan om aandacht voor waardevolle culturele verschijnselen en zinnige maatschappelijke ontwikkelingen. Met name op het laatste gebied ziet men graag dat de leden van het Koninklijk Huis blijk geven van persoonlijke betrokkenheid; de humanitas, de andere kwalificatie die Hella Haasse in verband bracht met het koningschap. Van het Nederlandse koningschap wordt verwacht dat het de vraag naar de fundamentele waarden in de samenleving niet uit de weg gaat, zodat het op de daartoe geëigende momenten naar het hogere of 'verhevene' weet te wijzen. De aanspreektitel van 'majesteit' (verhevene), die geaccepteerd wordt als consequentie van het staatkundige rollenspel waarvoor we met elkaar gekozen hebben, kan ook beschouwd worden als de opdracht die de aangesprokene er door krijgt. De koning wordt daarmee zijn plaats gewezen; hij is weliswaar de eerste, maar hij dient zich daar dan als zodanig ook naar te gedragen. Hoewel het waarschijnlijk is dat de moderne koning en zijn medeburgers hun rollenspel nooit meer helemaal vrij van ironie zullen kunnen beleven, kan het koningschap door de manier waarop het zich manifesteert voor een breed publiek waarden concreet maken, een variant van het adagium van de Franse filosoof P. Ricoeur, 'het symbool geeft te denken'.

Dat de Oranjes ook vandaag de dag op een geloofwaardige manier inhoud weten te geven aan het koningschap is behalve aan koningin Beatrix vooral te danken aan de inbreng van prins Claus. Hij is erudiet, kunstzinnig en mondiaal georiënteerd, hij heeft een sterk relativeringsvermogen en hij kent de ironie. Deze bescheiden non-conformistische intellectueel stimuleerde zijn vrouw in haar keuzen en had een belangrijke vormende invloed op zijn zoons. De laatste decennia heeft het Nederlandse koningschap ontegenzeglijk aan allure gewonnen.

Eigenlijk is prins Claus geslaagd waar zijn negentiende eeuwse voorgangster koningin Sophie, de eerste echtgenote van koning Willem III, faalde.

Dat elke generatie zo zijn eigen invulling van het koningschap en de Oranje-mythe heeft, werd aardig geïllustreerd door een artikel dat NRC Handelsblad in april 1997 publiceerde naar aanleiding van de dertigste verjaardag van de kroonprins onder de titel 'Willem-Alexander, ikoon van zijn generatie'. Hierin kwam een aantal generatiegenoten van de kroonprins aan het woord. De kritische geluiden over de kroonprins in die tijd werden afgedaan als 'kritiek van zelf-genoegzame vijftigers'. Ondanks dat ze het jammer vonden dat ze eigenlijk weinig van hem wisten en zijn afscherming verkrampt noemden, herkenden velen zich in hem omdat 'hij sociaal bewogen lijkt zonder er onwrikbare over-tuigingen op na te houden, en geniet van het leven zonder er zich voor te schamen'. Er was overwegend sprake van gevoelens van waardering en sympa-thie voor de persoon van de prins. 'Onderdanige bewondering' was er niet bij. Net als nogal wat ouderen vonden ze het koningschap in deze tijd theoretisch niet gemakkelijk te plaatsen en ook deze generatie stelde zich desondanks de vraag hoe het koningschap er in de toekomst uit zou moeten zien. Men vond in elk geval dat de toekomstige koning minder tijd zou moeten besteden aan het politieke aspect van zijn job en dat deze functie een 'meer menselijke en ceremoniële invulling zou moeten krijgen'. Er was behoefte aan een koning die zich ook 'meer zou moeten kunnen mengen in maatschappelijke discussies zonder dat politici daar meteen schande van spreken', 'die in het openbaar zou spreken over fundamentele waarden' en die 'een van de opinionleaders zou zijn'. Verder vond men het van belang dat de toekomstige koning meer tijd zou moe-ten besteden aan grote nationale evenementen en aan de public relations in het buitenland. Hoewel het artikel niet gebaseerd was op een representatief onder-zoek, is het opvallend dat er toch sterk de behoefte uitspreekt aan een koning-schap dat functioneert als 'hart van de samenleving'.
De kroonprins en zijn generatiegenoten vormen elkanders spiegelbeeld. We hebben te maken met een kroonprins die een inhoudelijk koningschap voor-staat, die er toch aan hechtte bij de aankondiging van zijn verloving met Máxima te benadrukken dat het Huis van Oranje protestants blijft, maar die zichzelf en zijn positie weet te relativeren en die zijn geliefde beslist niet voor de troon

wilde opgeven. Voor zijn generatiegenoten staat zoiets als sneuvelen voor 'koning en vaderland' ver van ze af. Als er iets sneuvelt is het in elk geval het laatste restje onderdanigheid. Maar toch verwachten ze inhoudelijk nog steeds wat van hun vorst. De toekomstige koning en zijn generatiegenoten ontmoeten elkaar in een gemeenschappelijk levensbesef van wellicht niet zo erg veel 'gratie Gods' en meer gemeenschappelijke humaniteit. De Oranjemythe werkt nog steeds door, zij het dat hij geleidelijk aan overgaat in het Oranjegevoel, de behoefte ergens – als het enigszins kan, op een zinnige manier – bij te willen horen, postmoderner kan het haast niet.

Prins Claus zei eens dat alle instituten die door mensen zijn geschapen kunnen verdwijnen, dus ook het koningschap. Hij geloofde niet dat, als het Nederlandse volk er een einde aan zou willen maken, er leden van het Koninklijk Huis op de barricaden te vinden zouden zijn om het te verdedigen. Uit deze opmerking spreekt zelfrelativering en de overtuiging dat natuurlijk ook het koningschap zijn uiteindelijke legitimatie vindt in het antwoord op de vraag of het door de meerderheid van de bevolking gedragen wordt. De liefde moet namelijk van twee kanten komen. Het verdwijnen van Oranje zou misschien niet onoverkomelijk zijn, maar het zou Nederland wel zijn specifieke kleur ontnemen. Voor het merendeel van de Nederlanders zou er iets verloren gaan waaraan ze gehecht zijn en dat meer te bieden heeft dan een gemeenschappelijk gespreksthema. Beschadiging van deze band zou de samenhang en de vitaliteit van de Nederlandse samenleving beslist geen goed doen. Iedereen met enig cultuurhistorisch inzicht en die waarde hecht aan gemeenschapsbesef zal daarom uit principe zorgvuldig willen omgaan met een traditie die bovendien georiënteerd is op het algemeen belang. Een politicus die daarmee geen rekening zou willen houden, zou kortzichtig zijn. Er is daarom geen sprake van dat democraten Oranje slechts zouden kunnen gedogen, ze zullen Oranje moeten koesteren, iets anders zit er niet op.

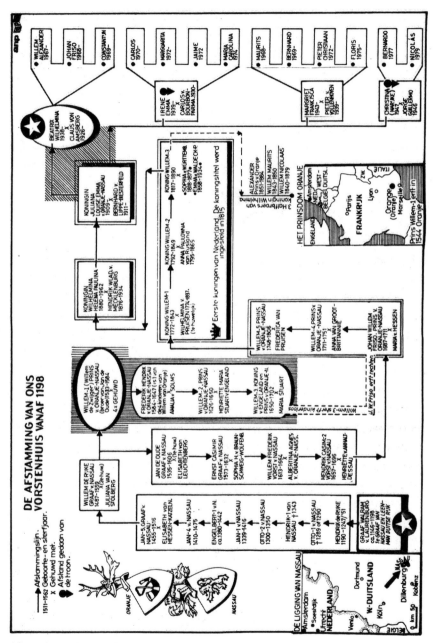

Afstamming van het Huis Oranje-Nassau.

# Noten

1    'Naar een republikeinse democratie', Maarten Hajer, Paul Kalma, Willem Witteveen, de Volkskrant d.d. 15-4-2000.

2    Alain Finkielkraut, 'Ondankbaarheid, een gesprek in onze tijd', Contact, 1999, p. 119.

3    Prof. mr. A.M. Donner, Erfelijk en onschendbaar, in: De monarchie in Nederland. EHB, 1980, p. 211.

4    Walter Bagehot, The English Constitution, 1867.

5    Ernest Zahn, 'Regenten, rebellen en reformatoren', Contact 1989, p. 30.

5a   Wouter Troost, Stadhouder-koning Willem III. Verloren, Hilversum, 2001, p. 19 e.v.

6    J. Huizinga, 'Nederlands beschaving in de zeventiende eeuw', H.D. Tjeenk Willink, 1941, p. 76.

7    Dr. G.J. Schutte, 'Oranje in de achttiende eeuw', Buijten en Schipperheijn, Amsterdam, 1999, p. 80.

8    Ernest Zahn, idem, p. 39.

9    Zie ook Trouw van 29-10-2000, 'We zijn niet allemaal koekhappers en zaklopers' p. 2.

10   Geactualiseerd wil ook zeggen ontdaan van achterhaalde al te antipaapse ontboezemingen.

11   Dr. J.W. Berkelbach van de Sprenkel, 'Oranje en de vestiging van de Nederlandse staat', Meulenhof 1946, pp. 183 en 184.

12   L.J. Rogier, 'Oranje en de Nederlandse staat' uit de bundel De Monarchie, Polak & Van Gennep, 1966, p. 41.

13   J. Huizinga, idem, p. 50.

14   Dr. W.J.C. Buitendijk, Oranje in de literatuur, uit: Als een goed instrument, De Tijdstroom, p. 88 e.v.

15   A.Th. van Deursen, 'Maurits van Nassau', Bert Bakker, p. 223.

16   Dr. P. Geyl, 'Oranje en Stuart', W. de Haan, Zeist, 1963, p. 340.

17   Minstens zeven keer stammen de huidige Oranjes af van Willem van Oranje. Von der Dunk Historisch Nieuwsblad juni 2000 p. 62.

18 Dr. P. Geyl, idem, p. 24.

19 J.C. Boogman, artikel over Johan de Witt, BMGN 1972.

20 Luuc Kooijmans, 'Liefde in opdracht', Bert Bakker 2000, p. 139.

21 Aitzema, 'Saken van Staet', III, p. 825.

22 Rudolf Dekker, 'Holland in beroering', AMBO, 1982, p. 47.

23 Dr. P. Geyl, idem, p. 265.

24 Dr. P. Geyl, idem, p. 339.

24a Wouter Troost, idem

25 Dr. Rob Tielman, 'Homoseksualiteit in Nederland', Boom, 1982, p. 49. Tielman noemt in dit verband de vriendschappen met Bentinck en Van Keppel.

26 Jaap Osta, 'Het theater van de staat', Wereldbibliotheek, 1998, p. 78.

27 Rudolf Dekker, idem, p. 45 e.v.

28 Jan en Annie Romein, 'Erflaters van onze beschaving', E.M Querido's uitg. 1959, p. 626.

29 Rudolf Dekker, idem, p. 139.

30 Dr. W.J.C. Buitendijk, idem, p. 105 e.v.

31 Hans Crombach en Frank van Dun, 'De utopische verleiding', Contact 1997 p. 219.

32 P.E Schramm, 'Mythos des Königstums' in: De monarchie, Polak & Van Gennep, 1966, p. 29.

33 Charel B. Krol, 'Als de koning dit eens wist', METRO, 1994, p. 153 e.v.

34 Hans Crombach & Frank van Dun, idem, p. 263.

35 E.H. Kossmann, Typologie der monarchieën van het Ancien Régime, in: De monarchie, P&VG, p. 68.

36 E.H. Kossmann, 'Politieke theorie en geschiedenis', Bert Bakker, 1987, p. 126.

37 Dennis Bos, 'Waarachtige volksvrienden', Bert Bakker, 2001, p. 129.

38 Charel B. Krol, idem, p. 45.

39 J. de Rek, 'Koningen, kabinetten en klompenvolk', Bosch en Keuning N.V., 1975, p. 157.

40 J. de Rek, idem, p. 158 e.v.

41 'La nation néerlandaise au dix-neuvième siècle: mythes et représentations' van Nicolas van Sas, AUP 1998.

42 Mr. L.W.G. Scholten, 'Voetstappen van Thorbecke', Van Gorcum, 1966, p. 93.

43 Dr. C.A. Tamse, Plaats en functie van de Nederlandse monarchie in de negentiende eeuw, in: De monarchie in Nederland, EHB, 1980, pp. 91 en 92.

44 J.H. van der Palm, Geschied- en redekundig gedenkschrift, 1816, p. 155.

45 A. Pierson, Willem de Clercq naar zijn Dagboek, Hrl.,1889, dl. I, p. 74.

46    Dr. J.W.C. Buitendijk, 'Als een goed instrument', N.V. De Tijdstroom, Lochem, p. 113.

47    Dr. J.W.C. Buitendijk, idem, p. 118 o.m. verwijzing naar Prediker 4:12.

48    Groen van Prinsterer, 'Handboek der geschiedenis van het vaderland', Amsterdam, 1895, 6de druk, p. 673.

49    Dr. J. Bank, 'Katholieken en de Nederlandse monarchie, tussen staatsraison en populariteit' in: De monarchie in Nederland, idem, p. 201.

50    A.A.H. Struycken, 'Ons koningschap', 1909.

51    Jan en Annie Romein, idem, p. 621.

52    Dr. A. Alberts, 'Koning Willem II', Kruseman, Den Haag, 1964, p. 21.

53    P.J. Oud, 'Honderd Jaren', Van Gorcum, 1954, p. 10.

54    Charel B. Krol, idem, p. 42.

55    Dr. W. Drees sr., 'Kroon en ministers', p. 135; en Krol, idem, p. 28.

56    Mr. L.W.G. Scholten, 'Voetstappen van Thorbecke', Van Gorcum, p. 45.

57    A.W.P. Weitzel, 'Maar Majesteit!', A.P., 1968, p. 204.

58    Paul van het Veer in de inleiding op Weitzels 'Maar Majesteit!'.

59    'Les Derniers Stuarts', artikel van de hand van koningin Sophie in: Revue des Deux Mondes, 1875: Joris Abeling Willem III, p. 44.

60    A.W.P. Weitzel, idem, p. 8.

61    A.W.P. Weitzel, idem, pp. 25 en 72.

62    Gedenkboek Biliton Maatschappij 1852-1927, pp. 32-37.

63    Dr. E. van Raalte, 'Staatshoofd en ministers', W.E.J. Tjeenk Willink, 1971, p. 101.

64    Cees Fasseur, 'Wilhelmina, de jonge koningin', Balans, 1998, p. 27.

65    J.P. Duyverman, 'Uit de geheime dagboeken van Aeneas Mackay, Dienaar des Konings, 1806-1870', Houten 1887.

66    Dr. A. Alberts, 'Koning Willem III', Kruseman.

67    Dr. E. van Raalte, idem, p. 94 e.v.

68    HTK, 3 november 1921, 315.

69    Dennis Bos, idem, p. 155.

70    Jaap van Osta, idem, p. 19.

71    Eric Hobsbawn, 'Mass-Producing Traditions: Europe 1870-1914'.

72    Michelet, 'Histoire de la Révolution francaise', Pléiade p. 76.

73    Jean-Marie Mayeur: Les débuts de la IIIe Republique, Points Histoire, 1973, p. 53

74    J.-M. Mayeur, idem, p. 48.

75 Henk te Velde, 'L'origine des fêtes nationales en France et aux Pays-Bas dans les années 1880' in: Lieux de mémoire et identités nationales, AUP, 1993, p. 107.

76 Jaap Osta, idem, p. 55.

77 Nicolas van Sas, La nation néerlandaise au dix-neuvième siècle in: 'Lieux de mémoire' p. 196 e.v.

78 Jaap van Osta, idem, p. 115.

79 Cees Fasseur, idem, p. 74.

80 Jaap Osta, idem, p. 145.

81 Verslag van de Verenigde zitting der beide Kamers d.d. 29 juli 1884 p. 9. In Luxemburg was erfopvolging in vrouwelijke lijn uitgesloten. Het groothertogdom ging op grond van een familieverdrag naar Adolf van Nassau.

82 Marcel E. Verburg, 'Koningin Emma', Bosch en Keuning, p. 213.

83 Marcel E. Verburg, idem, p. 54.

84 Wilhelmina, 'Eenzaam maar niet alleen', Ten Have, 1959, p. 40.

85 Wilhelmina, idem, p. 54.

86 Wilhelmina, idem, p. 53.

87 Cees Fasseur, idem, p. 94.

88 Cees Fasseur, idem, p. 117.

89 Haar hoogleraren waren o.a. Salvarda de Grave, Krämer en De Louter.

90 Henriette L.T. de Beaufort, 'Wilhelmina 1880-1962', Leopold, 1965, p. 35.

91 L.J. Rogier, 'De gestalte van deze vrouw', p. 63.

92 Cees Fasseur, idem, p. 173.

93 Dr. G. Puchinger, Koningin Wilhelmina in de omgang met haar ministers, in: Koningin Wilhelmina, onder redactie van dr. C.A. Tamse, Sijthof, 1981, p. 198.

94 Cees Fasseur, idem, p. 431, inclusief cursivering.

95 Dr. W. Drees sr., 'Koningin Wilhelmina', redactie dr. C.A. Tamse, 1981, p. 74.

96 Dr. L. de Jong, Koninkrijk II, pp. 1-6.

97 Dr. E. van Raalte, idem, p. 245.

97a Chris van der Heijden, 'Grijs verleden over Nederland en de Tweerde Wereldoorlog', Contact, 2001 p. 44 e.v.

98 H. van Hulst, A. Pleysier en A. Scheffer, 'Het roode vaandel volgen wij', Kruseman, 1969, p. 66.

99 Dr. H.M. Ruitenbeek, 'Het ontstaan van de Partij van de Arbeid', 1955, p. 31.

100 Henriette de Beaufort, idem, p. 111.

101 Wilhelmina, idem, p. 244.

102 Dr. L de Jong, 'De geschiedenis van het koninkrijk der Nederlanden'; Cees Fasseur, 'Wilhelmina - Krijgshaftig in een vormeloze jas', Balans 2001.

103 Mr. J.A.W. Burger, Koningin Wilhelmina toen!, in: Koningin Wilhelmina, onder red. van dr. C.A. Tamse, p. 71.

104 Henriette de Beaufort, idem, p. 130.

105 Prof. dr. C.L. Patijn, Wending februari 1965.

106 J.G. Kikkert, 'Juliana, een vorstelijk leven', Poseidon Pers, 1999, p. 32.

107 Berust op persoonlijke ervaringen uit de tijd dat ik kamerlid was.

108 H.A. van Wijnen, 'Van de macht des konings', Contact 1975, p. 19.

109 Dr. A. Vondeling, 'Nasmaak en voorproef', AP, 1968, p. 46 e.v.

109a Dr. L. de Jong, idem, deel 12 eertse helft p. 606

110 Het Parool, 26-04-1952.

111 Der Spiegel, 13-06-1956.

112 Handelingen Tweede Kamer 156-1957, p. 32.

113 J.G. Kikkert, 'Juliana, een vorstelijk leven', Poseidon Pers, 1999, p. 146.

114 De carlisten waren klerikaal, reactionaire aanhangers van Spaanse troonpretendenten, die de naam Don Carlos droegen en in de negentiende eeuw via burgeroorlogen getracht hebben de macht te veroveren. Tijdens de burgeroorlog streden ze aan de kant van Franco.

115 Dr. E. van Raalte, idem, p. 259.

116 Dr. E. van Raalte, idem, p. 264.

117 Henriette L.T. de Beaufort, idem, p. 242.

118 In de discussie over kosten van het koningschap leek het steeds weer alsof deze uitsluitend ten goede kwamen aan de leden van het Koninklijk Huis persoonlijk, terwijl het voor het merendeel uitgaven betrof die gemaakt werden om het koningschap naar behoren uit te kunnen oefenen. In een brochure van de Christelijk Historische Jongeren Organisatie 'het moderne koningschap', Jac. Huijsen, 1966, p. 18, was deze oplossing al eerder gesuggereerd en deze zou door de CHU-leiding ter bestemder plekke aan de orde gesteld worden.

119 Harry van Wijnen, 'De Prins-Gemaal', zie Epiloog.

120 Tijdens een persoonlijk gesprek in de zomer van 1976 toen we beiden lid van de Tweede Kamer waren.

121 Harry van Wijnen, 'De Prins-Gemaal', p. 290.

122 Harry van Wijnen, 'De macht des konings', p. 36.

123 Juliana reageerde hiermee op de kritiek van dr. A. Vondeling in: 'Nasmaak en voorproef'.

124  Remco Meijer, 'Aan het hof', Bert Bakker, p. 14.

125  Zie voor de organisatie van het hof: 'Aan het hof, de monarchie onder koningin Beatrix', Remco Meijer, Balans 1999.

126  'Koninklijk en gewoon zijn, een buitengewoon zware eis.', prof. dr. E.H. Kossmann, 30-10-1992 in de Grote Kerk in Den Haag.

127   Harry van Wijnen, 'De macht van de kroon', Balans 2000, p. 180.

128  Televisieportret uit 1988 gemaakt door de schrijfster Hella Haasse.

129  'Koning Beatrix: een instituut', Fred. J. Lammers, Bosch en Keuning, De Bilt, 1997, p. 25 e.v.

130  'Juliana, een vorstelijk leven', J.G. Kikkert, Poseidon Pers, 1999, p. 170.

131  Fred J. Lammers, 'Koningin Beatrix: een instituut', Bosch & Keuning, 1997 p. 34.

132  'De macht van de kroon' idem, p. 175.

133  'Maar Majesteit', idem, p. 85.

134  Gesprek met de heer drs. R.F.M. Lubbers op 27 november 2000.

135  Gesprek met mr. H.D. Tjeenk Willink op 26 september 2000.

136  'De macht van majesteit', Bert de Vries e.a., Volkkrant Magazine 29-4-2000, p. 20 e.v.

137  Volkskrant Magazine, idem.

138  De Volkskrant idem, Margreet de Boer.

139  'Perfectionisme van de vorstin roept ook wel weerstand op', Leeuwarder Courant 24-01-1998, Berrit de Lange en Carine Neefjes.

140  Gesprek met dr. Peter Rehwinkel op 12 januari 2001.

141  'Een schendbare onschendbaarheid', Willem Breedveld, Trouw 14 september 1996.

142  Gesprek met drs. R.F.M. Lubbers idem.

143  Gesprek met prof. dr. Joop van den Berg op 9 januari 2001.

144  Redmar Kooistra en Stephan Koole, 'Beatrix', Bert Bakker p. 124.

145  Gesprek met drs. R.F.M. Lubbers, idem.

146  Speech Lubbers n.a.v. koperen regeringsjubileum van koningin Beatrix in 1992.

147  'Koningin Beatrix beoefent het bewuste niet-weten', professor Fons Elders, NRC Handelsblad, 07-01-1997.

148  Toespraak voor het Europese Parlement 1984.

149  Reactie op toekenning Keizer-Karelprijs in 1996.

150  'De voorstelling', Amsterdam, Lien Heyting, 'Kijk eens wat een talent'.

151  Han Hansen, 'De koning komt', Van Gennep, 1993, p. 31.

152  R. Rubinstein, 'Alexander', 's-Gravenhage, 1985, p. 51.

153  'Alexander', idem p. 57.

154 Gesprek met mr. H.D. Tjeenk Willink op 26 september 2000.

155 G.J. Kikkert, 'Willem-Alexander, Prins van Oranje', Poseidon, 1999, p. 58.

156 Gesprek met mr. H.D. Tjeenk Willink, idem.

157 Charles Huijskens, 'Majesteit en media', Contact, p. 104.

158 HP/De Tijd 25-08-1995.

159 Artikelen in Trouw d.d 24-03-1997 en 19-04-1997.

160 Harry van Wijnen, 'De macht van de kroon' p. 184;
en gesprekken met enkele leden van de RvS.

161 'Onmenselijkheden', J.L. Heldring, NRC Handelsblad, d.d. 25-04-200???.

162 'Premier Kok zit behoorlijk te slapen', interview in Elsevier, 31-3-2001.

163 'De kroon of het meisje', Jaco Alberts en Gijsbert van Es. NRC Handelsblad 14 april 2001.

164 Prof. mr. P.T.T. Bovend'Eert 'Monarchie en Republiek', p. 15.

164a Kees Lunshof, De Telegraaf, 11 april 2000.

165 Advies Raad van State, Tweede Kamer vergaderjaar 2000-2001 stuk 27400 III.

166 Tweede Kamer vergaderjaar 1999-2000, stuk 27409.

167 Handelingen Tweede Kamer 5 oktober 2000, 9-579.

168 Gesprek met drs. R.F.M. Lubbers, idem.

169 'De koningskwestie', Elsevier 15-04-2000.

170 Handelingen Tweede Kamer 5 oktober 2000, 9 564.

171 'Monarchie en democratie', prof. dr. S.W. Couwenberg, Tijdschrift voor
Bestuurswetenschappen en Publiekrecht, maart 1999.

172 Dr. S.W. Couwenberg idem.

173 'Mediation kan rol spelen bij kabinetsformatie', mr. J.M. Bosnak,
NRC Handelsblad 22-9-200???.

174 TK 9, 9-539, 5 oktober 2000.

175 Henk van der Kolk, 'Kroon kun je een mens niet aandoen', Trouw, 2 juni 2001.

176 Prof. mr. I. van der Vlies, Nederlands Juristenblad, april 2000.

177 Hans Dijkstal, 'Koning en zijn familie moeten meer ruimte krijgen',
NRC Handelsblad 19 mei 2001.

178 Jan Peter Balkenende, 'De koning moet een leider zijn', Trouw, 19 mei 2001.

179 'De macht van majesteit', idem.

180 'Het staatshoofd spreekt', redactie Willem Breedveld, Sdu Uitgeverij, 1992, p. 247.

181 L. Kolakowski, 'Horror methaphysicus', Kok Agora, 1989, p. 118.

182 Gesprek met prof. dr. Joop van den Berg, 09-01-2001.

183 Rita Kohnstamm, 'Meewuiven met de vorst', NRC Handelsblad, 17-05-1997.

184 Anet Bleich, 'Oranje en rood', de Volkskrant, 04-04-2001.

185 'Het volk en het sprookje', de Volkskrant, 15 april 2000.

186 'Een onvermijdelijke vulgarisering', J.L. Heldring, NRC Handelsblad, 25 mei 2001.

# Verantwoording illustraties

De geplaatste foto's zijn afkomstig van, en de rechten berusten bij: